D1216910

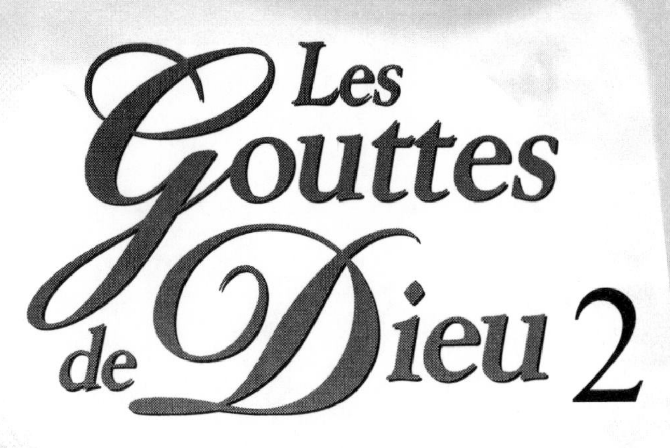

Les Gouttes de Dieu 2

scénario : Tadashi Agi
dessins : Shu Okimoto

Préface

Philippe Bourguignon

Né en 1951, Philippe Bourguignon
voue une passion au vin, et notamment au Riesling.

Meilleur sommelier de France en 78,
membre de l'Académie des vins de France
et conférencier à l'école polytechnique,
il aime faire partager sa passion du vin.
Il a édité L'Accord parfait aux éditions du Chêne.

Et dire que pendant des années, nos institutions, nos organismes officiels ont réfléchi, ont dépensé sans compter, des budgets de promotion sans cesse renouvelés, pour tenter, essayer d'initier les jeunes adultes français mais aussi européens, américains, japonais aux plaisirs du vin.

Sans réel succès.

Sans vraiment savoir comment s'y prendre !

Et dire que moi-même, de la même façon, j'ai tenté des années durant d'initier mes proches aux mêmes joies du vin, à ses labyrinthes de plaisirs, en tâchant toujours d'éviter la distance, le mystère, l'initiation pédante. Et ce, il me faut l'avouer, sans grand succès non plus.

Alors, peut-être que la solution est là, dans cette lecture « manga » autour du vin où le regard extérieur sur notre métier offre mille facettes de l'apprentissage ; tout ce qui nous semble évident, ordinaire, naturel, familier, presque inné est ici décortiqué, amplifié, mis en scène.

Sommeliers, œnologues, vignerons, dégustateurs animent ces pages comme des héros. Yquem, Romanée-Conti, Margaux, Ausone, et bien d'autres deviennent ici des chefs d'œuvres adulés et respectés. Les grandes étiquettes se transforment en icônes. Le vin qu'elles identifient est désiré, expliqué, commenté, partagé.

Fascinante lecture en définitive qui sans se prendre au sérieux, initie au monde du vin souvent trop hermétique.

L'essentiel étant de mener à une meilleure compréhension du vin par une connaissance joyeuse et non hautaine et au partage de la table et à l'ivresse des mots qu'elle engendre.

Et pourquoi pas, en rêvant un peu, parvenir à mieux défendre notre culture, historique du vin qui se verrait conquérir et marquer des points sur celle tout aussi historique du thé.

Belle conquête, en somme du vin, simple eau végétale, mais tellement énigmatique.

Philippe Bourguignon

Sommaire

UN PETIT TOUR...
DE DIEU.

UN TOUR DE DIEU ?
C'EST UN 99, COMME LA BOUTEILLE QUI A ÉTÉ BRISÉE.
IL EST JEUNE, JE L'AI DONC DÉCANTÉ.
TU ES SÉRIEUX ?
J'ESPÈRE POUR TOI QUE TU NE PLAISANTES PAS.
BIEN SÛR QUE NON.
NE VOUS INQUIÉTEZ PAS, JE ME SUIS CHARGÉ DE LE GOÛTER ...
MOI-MÊME.

#9 Le verre des retrouvailles

...

JE VOIS...
J'AI DEVINÉ QUE TU AVAIS UN LIEN AVEC YUTAKA KANZAKI, MAIS LEQUEL ?

EH BIEN ...
C'EST MON PÈRE.

JE M'EN DOU-TAIS.
TU N'AS PAS L'AIR DE BLUFFER, CE SERAIT STUPIDE...
TOI !
BIEN, ALORS SERS-LE...
OU... OUI !

AH, LÀ, LÀ...
TU L'AS BIEN EM-BROUILLÉ ...
SHI-ZUKU !
TU N'AS PAS VRAIMENT MENTI, MAIS LE PATRON EST PERSUADÉ...
QUE CE VIN EST UN CROS-PARANTOUX DE HENRI JAYER.
OUI...

JE ME DEMANDE SI, SACHANT QUI J'ÉTAIS, IL A CRU QUE J'AVAIS TIRÉ UNE BOUTEILLE DE LA COLLECTION DU VIEUX ?
ON DIRAIT QU'IL N'A PAS COMPRIS CE QUE JE VOULAIS DIRE...
BON ...
JE VAIS ME FAIRE PASSER POUR UN CLIENT ET OBSERVER.
HÉ... ATTENDS UN PEU !
AT-TENDS !
?!
LE NÉGOCIANT EN VINS...

SI...
S'IL S'APERCEVAIT QUE CE N'EST PAS LE MÊME...
TOUT IRA BIEN !
FAIS-MOI CONFIANCE !
M... MAIS...

SI C'EST UN VIEUX FRANÇAIS RÂLEUR...
QUI ME TRAITE DE MENTEUSE EN HURLANT...
HÉ, HO...
CE N'EST PAS UN VIEIL HOMME.

SI C'EST TON NÉGOCIANT QUI A ENVOYÉ CE CROS PARANTOUX HENRI JAYER À TON PATRON...
ALORS CELA SIGNIFIE...
QUE C'EST UNE FEMME.

IL... IL AVAIT RAISON !
ANNE.
J'AI PRÉPARÉ DU CHAMPAGNE POUR L'APÉRITIF...
MERCI.
COMMENT SHIZUKU A-T-IL DEVINÉ ?
PURÉE, C'EST CHER...
AVEZ-VOUS CHOISI ?

SANTÉ !
C'EST UN SALON 95, N'EST-CE PAS ?
IL EST FABULEUX !

...
JE N'EN...
ATTENDAIS PAS MOINS DE TOI, QUI ES DU MÉTIER...
ELLE EST DOUÉE POUR LA DÉGUSTATION...
ENCORE UN PEU, MADAME ?
EST-CE BIEN RAISONNABLE DE LUI SERVIR CE VIN À LA PLACE DU HENRI JAYER ?

LE SALON...
UN CHAMPAGNE D'EXCEPTION QUI N'EST PRODUIT QU'À PARTIR D'UNE RÉCOLTE TOUS LES TROIS ANS, EN MOYENNE...
CE DERNIER MILLÉSIME, LE 95, EST ARRIVÉ SUR LE MARCHÉ IL Y A PEU DE TEMPS...
CAR ON LE LAISSE VIEILLIR EN CAVE ENTRE 7 ET 15 ANS...
AU JAPON, ON APPELLERAIT ÇA UNE "POUPÉE DE COLLECTION"...

TOI AUSSI, TU EN ÉTAIS UNE LORS DE TES ÉTUDES ICI, IL Y A 15 ANS...
MAIS TU N'AS ABSOLUMENT PAS CHANGÉ.
TOU-JOURS AUSSI BELLE...
...
MER-CI.
MAIS IL Y A EU DU BON ET DU MAUVAIS...
MON DIVORCE, PAR EXEMPLE.
QUOI ?

VOICI, MESSIEURS-DAMES...
LE TARTARE DE SAUMON ET SA COURONNE DE CAVIAR DE RUSSIE.
...

DIS, TOI !
PARDON ?
CE CAVIAR EST BIEN TROP SALÉ POUR LE GOÛT DÉLICAT DU CHAMPAGNE SALON !
EN... EN EFFET...
TOUTES MES EXCUSES, MONSIEUR...
SOI-CHIRO...
TU ES DEVENU UN VRAI CONNAISSEUR.

HA HA HA !
TU SAIS, ÇA FAIT PARTIE DE MON BUSINESS...
VU QUE JE DIRIGE UNE CHAÎNE DE RESTAURANTS...
EN FAIT, JE PROJETTE D'OUVRIR UN BAR À VINS.

ET C'EST À CE PROPOS QUE...

AT-TENDS !
CELA FAIT SI LONGTEMPS QUE NOUS NE NOUS SOMMES VUS, ET TU VEUX PARLER AFFAIRES SANS MÊME BOIRE DE VIN...

C'EST VRAI...
CELUI QUE TU AS SPÉCIALE-MENT FAIT ENVOYER DE FRANCE...

...

ZIM
NOUS Y VOILÀ.

CE 99 ÉTANT ENCORE JEUNE, JE L'AI FAIT DÉCANTER...
SOUHAITEZ-VOUS LE GOÛTER ?

NON...
SOMME-LIÈRE.
SERVEZ-NOUS DIRECTE-MENT...

BIEN, MADAME.

...
BRR カタ BRR カタ
TRIN-QUONS...
DE NOUVEAU À NOS RETROU-VAILLES...
AVEC CE VIN DIVIN QUE TU NOUS OFFRES...

MAIS AVANT...
TE RAPPELLES-TU QUEL JOUR NOUS SOMMES ?

PARDON ?

IL Y A TOUT JUSTE 15 ANS, TOI ET MOI...
DÎNIONS ENSEMBLE POUR LA DERNIÈRE FOIS.

CE JOUR-LÀ, COMME AUJOURD'HUI...
NOUS AVONS BU UN CROS-PARANTOUX DE HENRI JAYER QUE J'AVAIS FAIT PARVENIR...
AU RESTAURANT.

JE M'EN SOUVIENS.
TU N'AVAIS QUE 20 ANS, ET ÉTAIS ENCORE ÉTUDIANTE...
MOI, J'EN AVAIS DÉJÀ 25...
JE TRAVAILLAIS À MI-TEMPS, M'OCCUPANT DU VIN DANS UN PETIT RESTAURANT FRANÇAIS...
ALORS... COMMENT ÇA SE LIT ?
1987
HEBOURG
GRAND CRU
Henri Jayer
"HENRI JAYÈRE" ?
C'EST HENRI JAYER.

ÇA ME RAPPELLE MON ENFANCE !
ALORS, LES JAPONAIS AUSSI MANGENT DE LA BARBE À PAPA ?
OUI, ICI ON APPELLE ÇA "WATAGASHI".
BONBONS
DEPUIS QUE JE T'AI RENCONTRÉ, SOICHIRO…
TU M'AS EMMENÉE DANS PLEIN D'ENDROITS…
J'AI PU DÉCOUVRIR TANT DE CHOSES…
JUSQU'À CETTE BARBE À PAPA…
JE ME DEMANDE SI UN VIN POURRAIT EN AVOIR LE GOÛT…
VOYONS… PAR EXEMPLE …
UN VIN DE DESSERT COMME LE SAUTERNES, DONT LE GOÛT SUCRÉ SI LÉGER…
FOND SUR LE BOUT DE LA LANGUE…
JE VOIS… UN SAUTERNES…
OU BIEN…
OUI ?

BEIGNETS
Pêche

JE CHÉRIS CETTE ANNÉE PASSÉE AU JAPON...
COMME UN TRÉSOR.
...

PFF !
QUE DIS-TU ?
N'AS-TU PAS CHOISI DE VIVRE DANS LA RICHESSE ?
IL Y A 15 ANS, C'EST BIEN POUR ME DIRE CELA
QUE TU AS FAIT ENVOYER CE HENRI JAYER ?

1985
MAIS COMMENT AS-TU…
C'EST UN VIN FANTASTIQUE !
VOSNE-ROMANEE
CROS-PARANTOUX
TU VOULAIS TELLEMENT EN BOIRE…
ALORS JE L'AI FAIT ENVOYER DE FRANCE.
DE… DE FRANCE ?!
JUSTE POUR MOI ?
…

MAIS ENFIN, QUI ES-TU ?
TU N'ES DONC PAS UNE SIMPLE ÉTUDIANTE ?
J'ÉTAIS STUPÉFAIT…
D'APPRENDRE QUE CELLE QUE JE PRENAIS POUR UNE FILLE ORDINAIRE ÉTAIT UNE RICHE BOURGEOISE DE BOURGOGNE…
AVEC DES ASCENDANCES NOBLES, QUI PLUS EST.
MAIS…
CE QUI M'A LE PLUS SURPRIS…

*NDT : environ 6500 euros.

J'AI L'IMPRESSION DE VOIR CLAIREMENT...
QUELLE VIE TU AS MENÉE DEPUIS LORS...
... QUE VEUX-TU DIRE ?

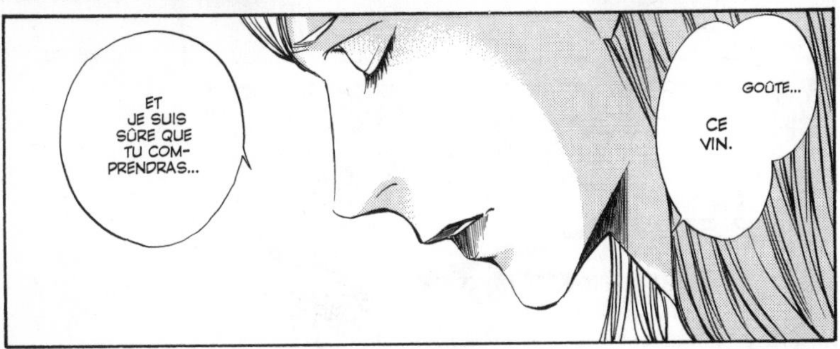
GOÛTE...
CE VIN.
ET JE SUIS SÛRE QUE TU COMPRENDRAS...

LES SENTIMENTS...
QUE JE N'AI PU EXPRIMER IL Y A 15 ANS.
...
...
OUI, J'EN SUIS SÛRE...

ÇA... ÇA SE COMPLIQUE...
C'ÉTAIT DONC ÇA...
QUOI ?
J'AI COMPRIS...
LE MYSTÈRE DE CETTE JEUNE FILLE...

AU MILIEU
D'UN CHAMP
DE FRAISES.

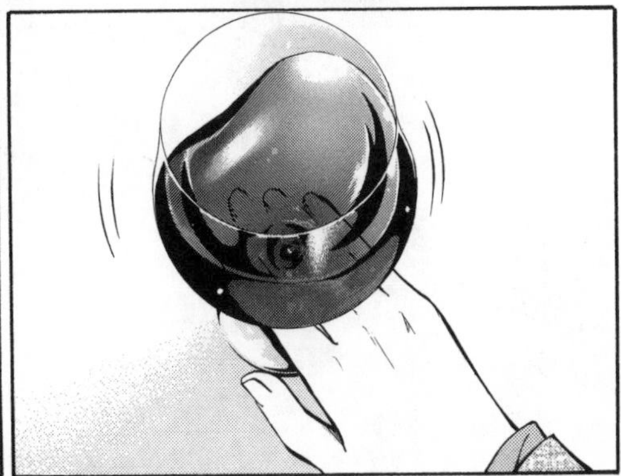

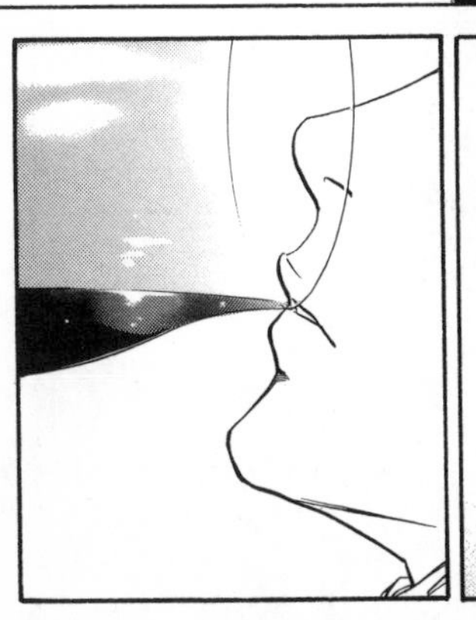

MONSIEUR MISHIMA... VOUS DEVRIEZ ARRIVER À VOIR...
CE QUI SE CACHE VRAIMENT DERRIÈRE CE VIN...

#9 *Fin*

#10 La jeune fille souriante dans le champ de fraises

UN CHAMP DE FRAISES ?
OUI, UN CHAMP DE FRAISES SUR UNE COLLINE ENSOLEILLÉE...
DES ROSES QUI ÉCLOSENT...

C'EST ÇA... CE SOIR-LÀ, IL Y A 15 ANS...
JE ME TROUVAIS DÉJÀ LÀ...

RETOURNE-TOI...
S'IL TE PLAÎT !

UNE FRAGRANCE DOUCE ET SUCRÉE...
DES PANCAKES ARROSÉS DE SIROP D'ÉRABLE ?
NON, IL Y A AUTRE CHOSE...
C'EST EN TRAIN DE CHANGER...
OUI, C'EST...

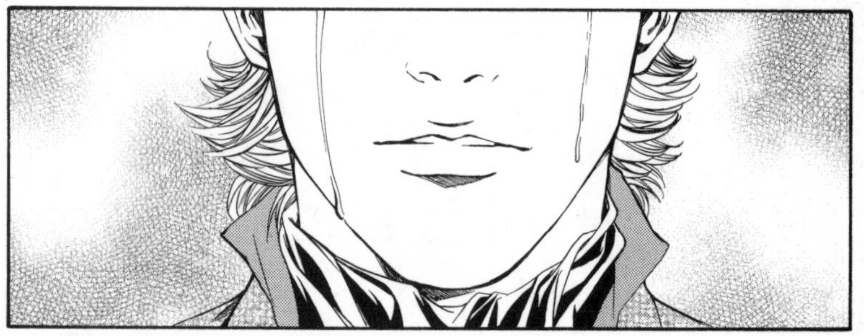

J'AI ENFIN COMPRIS...
J'AI COMPRIS, ANNE...

CE QUE...
TU VOULAIS ME DIRE, CE SOIR-LÀ.

BUVONS, SOICHIRO...
ENCORE UNE FOIS...

DIS, SHIZUKU...
HUM ?
QUE VOULAIT DIRE ANNE...
AU TRAVERS DE CE VIN ?
MIYABI ...
QU'AS-TU PENSÉ EN GOÛTANT LE CROS-PARANTOUX ?
EH BIEN...
QU'IL ÉTAIT DÉLICIEUX...
J'AI EU L'IMPRESSION DE DÉGUSTER PLUSIEURS GRANDS CRUS D'UN COUP...
C'EST TOUT ?
EUH... BEN...
SA LONGUEUR...
J'AI EU L'IMPRESSION QU'ELLE DURERAIT ÉTERNELLE-MENT...
MAIS OUI !

TU VOIS ?
...
TU COMMENCES À SAISIR, NON ?
CETTE JEUNE FEMME DE DOS, DANS LE CHAMP...
SA MÉLANCOLIE...
L'ENVIE DE S'EN APPROCHER, INVITÉ PAR LE PARFUM SUCRÉ ET FRUITÉ...

LE VOSNE-ROMANÉE LES BEAUMONTS...
D'EMMANUEL ROUGET, L'UN DES HÉRITIERS DE HENRI JAYER...
RESSEMBLAIT EN CELA VRAIMENT AU CROS-PARANTOUX DE SON MENTOR.
CEPENDANT...

SON ARÔME DISPARAISSAIT COMME UNE ILLUSION...
DE MÊME QUE LA JEUNE FILLE ÉCHAPPAIT À MES BRAS TENDUS...
...

COMME SI ELLE DISPARAISSAIT DANS UN BROUILLARD ÉPAIS.
TU AS SANS DOUTE RAISON...
CE VIN DE ROUGET EST DÉLICIEUX, PLUSIEURS NIVEAUX AU-DESSUS DES AUTRES BOURGOGNES, MAIS...
EN LE BUVANT, ON SE REND COMPTE QU'IL LUI MANQUE QUELQUE CHOSE...
CEPEN-DANT...
POUR LE JAYER, C'EST DIFFÉRENT...

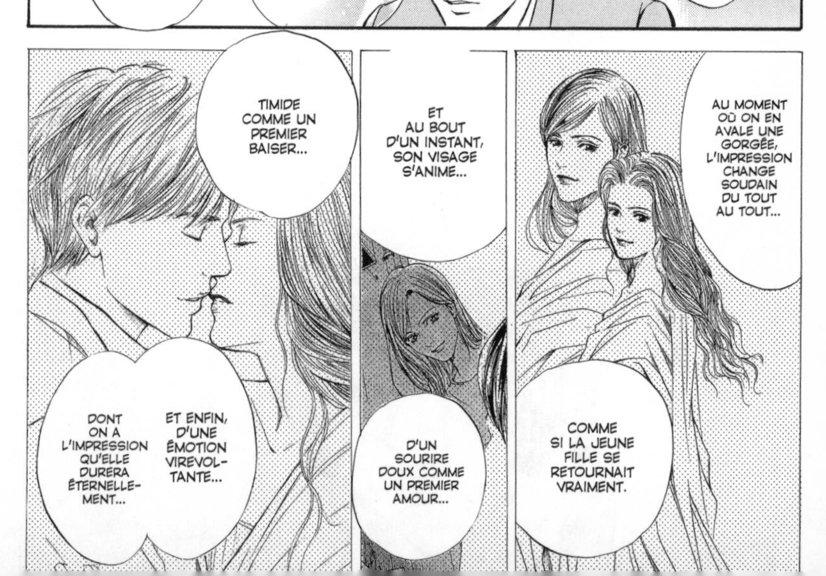
AU MOMENT OÙ ON EN AVALE UNE GORGÉE, L'IMPRESSION CHANGE SOUDAIN DU TOUT AU TOUT...
COMME SI LA JEUNE FILLE SE RETOURNAIT VRAIMENT.
ET AU BOUT D'UN INSTANT, SON VISAGE S'ANIME...
D'UN SOURIRE DOUX COMME UN PREMIER AMOUR...
TIMIDE COMME UN PREMIER BAISER...
ET ENFIN, D'UNE ÉMOTION VIREVOLTANTE...
DONT ON A L'IMPRESSION QU'ELLE DURERA ÉTERNELLEMENT...

JE VOIS...
C'EST COMME ÇA QUE TU AS SU QUE L'EXPÉDITEUR ÉTAIT UNE FEMME.
C'EST UN VIN...
BIEN TROP ROMANTIQUE POUR ÊTRE BU ENTRE HOMMES.

MAIS IL Y A 15 ANS...
SE VOYANT ENVOYER CE VIN SPÉCIALEMENT DE FRANCE, SOICHIRO S'EST MÉPRIS...
IL A CRU QU'ELLE SOULIGNAIT LEURS DIFFÉRENCES DE STATUT SOCIAL.
ALORS QU'AU CON-TRAIRE...
ANNE VOULAIT LUI DIRE...
QU'ELLE SOUHAITAIT QU'ILS RESTENT TOUJOURS ENSEMBLE.

ILS ÉTAIENT SANS DOUTE TROP JEUNES POUR COMPRENDRE LEURS SENTIMENTS RESPECTIFS.
MÊME LE MEILLEUR DES VINS, S'IL EST BU AVANT MATURITÉ...
PEUT ÊTRE CONFONDU AVEC UN VIN ORDINAIRE.

TOUTEFOIS, JE ME DEMANDE...
QUOI DONC ?

POURQUOI EST-ELLE VENUE AU JAPON APRÈS TOUTES CES ANNÉES ?
POUR REPRENDRE LES CHOSES LÀ OÙ ILS LES ONT LAISSÉES ?

MAIS OUI, AU FAIT...
SOMMELIÈRE !

EUH... OUI !
SERVEZ DONC UN VERRE À CE MONSIEUR...
ET QUE DIRIEZ-VOUS DE LE GOÛTER AUSSI ?

EN... ENTENDU ! MERCI, MADAME !
OH, VRAIMENT ?
BAH, SI VOUS INSISTEZ...

WOW ! TROP BON !
RUSTRE !
J'EN SUIS TOUT RETOURNÉ !
MAIS EN EFFET, CE VIN EST MERVEILLEUX...
VRAIMENT !

OUI...
JE NE SAIS PAS CE QUI S'EST PASSÉ, MAIS VOUS AVEZ DÛ LUTTER POUR LE TROUVER.
IL EST SÛREMENT TRÈS COÛTEUX...
MÊME S'IL L'EST UN PEU MOINS QUE CELUI QUE J'AVAIS FAIT ENVOYER.

AH, BEN ON A EU DE LA CHANCE...
ON NOUS L'A FILÉ GRATIS...
!
!
CHUT ! IMBÉCILE !
OUPS !
RHEU!
HIHI ! JE M'EN DOUTAIS.
...
PARDON, ANNE.

EN FAIT, TON VIN...
A ÉTÉ CASSÉ PAR LA FAUTE DE MES EMPLOYÉS.
JE LEUR AI DONC ORDONNÉ DE RETROUVER LE MÊME...
IL ÉTAIT CENSÉ ÊTRE EXACTEMENT LE MÊME.
MAIS COMMENT AS-TU DEVINÉ QUE CE N'ÉTAIT PAS LE TIEN ?

NON...
CE N'EST PAS MON CROS-PARANTOUX...
MAIS SI JE N'EN AVAIS PAS BU AUTREFOIS, JE NE L'AURAIS PAS REMARQUÉ.

CE VINCI...
EST UN JAYER SANS EN ÊTRE UN.
OUI, ON PEUT LE DIRE AINSI.
JE N'Y COMPRENDS STRICTEMENT RIEN.
QUE VEUX-TU DIRE ? EXPLIQUE-MOI !
JE VOUDRAIS MOI AUSSI...
SAVOIR D'OÙ VIENT CE VIN.
COMMENT ?

TU AS SERVI UN VIN SANS LE CONNAÎTRE ?
OUI...
ON ME L'A JUSTE DONNÉ EN ME DISANT...
SI LA PERSONNE QUI A ENVOYÉ LE CROS PARANTOUX DE HENRI JAYER COMPREND VRAIMENT LE VIN...
IL N'Y A AUCUNE RAISON POUR QU'ELLE DÉDAIGNE CETTE BOUTEILLE.
COMME JE NE VOULAIS PAS SERVIR CE VIN SANS SAVOIR S'IL FERAIT L'AFFAIRE...
J'EN AI BU UNE GORGÉE ALORS QU'IL DÉCANTAIT.
ET C'EST TRÈS ÉTRANGE, MAIS...
JE ME SUIS DIT À CE MOMENT-LÀ QUE C'ÉTAIT UN HENRI JAYER À 99 %.
IL A DEVINÉ LA VÉRITABLE NATURE DE CE VIN EN UNE SIMPLE GORGÉE ?

ET CE JUSQU'À CES 1 % DE DIFFÉRENCE...
CE JEUNE HOMME...
JE NE SOUHAITAIS PAS VOUS TROMPER...
MAIS J'AVAIS L'IMPRESSION QUE VOUS N'EN ACCEPTERIEZ...
PAS D'AUTRE.
POURRIEZ-VOUS ME DIRE...
POURQUOI IL A LE GOÛT D'UN HENRI JAYER, S'IL VOUS PLAÎT ?

E... EMMANUEL ROUGET ?
POC
1999
1999
Vosne-Romanee 1er cru
CROS PARANTOUX
RED BURGUNDY WINE
Emmanuel ROUGET
A FLAGEY ECHEZEAUX COTE DOR
VIN NON FILTRE

EST-CE BIEN VRAI ?
ON DIT QUE LE NEVEU DE JAYER, ROUGET, EST SON HÉRITIER CAR IL A APPRIS LA VINICULTURE AVEC SON ONCLE...
MAIS LEURS VINS SONT BIEN DISTINCTS !
JE NE CROIS PAS...
QU'UN ROUGET PUISSE ÊTRE À LA HAUTEUR DU DIEU DES BOURGOGNES !

MOI NON PLUS...
LORSQUE J'AI BU LE VOSNE-ROMANÉE LES BEAUMONTS 97 DE ROUGET...
JE ME SUIS DIT QU'IL NE POURRAIT SERVIR DE REMPLACEMENT...
MAIS CE VIN A VRAIMENT PU...

SAVEZ-VOUS...
QUELLE RUMEUR COURT EN BOURGOGNE ?

ON DIT QUE PARMI LES 99 D'EMMANUEL ROUGET...
HENRI JAYER EN AURAIT VINIFIÉ CERTAINS
DONT LE CROS-PARANTOUX.
HEIN ?
CO...
COMMENT ?!

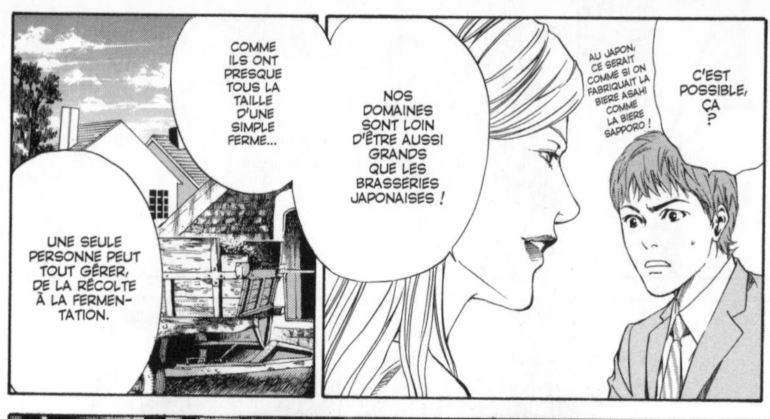
AU JAPON, CE SERAIT COMME SI ON FABRIQUAIT LA BIERE ASAHI COMME LA BIERE SAPPORO !
C'EST POSSIBLE, ÇA ?
NOS DOMAINES SONT LOIN D'ÊTRE AUSSI GRANDS QUE LES BRASSERIES JAPONAISES !
COMME ILS ONT PRESQUE TOUS LA TAILLE D'UNE SIMPLE FERME...
UNE SEULE PERSONNE PEUT TOUT GÉRER, DE LA RÉCOLTE À LA FERMENTATION.

EMMANUEL ROUGET EST L'UN DE CES PRODUCTEURS.
EN 99, IL A ÉTÉ TRÈS MALADE...
ET BIEN INCAPABLE DE S'OCCUPER DE SON VIN.

ET C'EST POUR CELA QU'ON RACONTE QUE SON ONCLE HENRI JAYER, EN PLEINE FORME...
MALGRÉ SES 80 ANS PASSÉS, S'EN EST CHARGÉ À SA PLACE.
HONNÊTEMENT, JE N'Y CROYAIS QU'À MOITIÉ...
SCIÉS
MAIS CE SOIR, APRÈS AVOIR BU CE VIN...
JE SUIS PLUTÔT CONVAINCUE.

CE VIN EST BIEN L'ŒUVRE D'UN "DIEU"...
OU PLUTÔT, C'EST UN PETIT TOUR QU'IL NOUS A JOUÉ À TOUS.
ROUGET
VIN NON FILTRE
PRODUCE of FRANCE

J'AIME CE VIN.

IL A UN CHARME JUVÉNILE, ENCORE PLUS QUE LE CROS-PARANTOUX DE LA BOUTEILLE BRISÉE...
IL EST LÉGER COMME UN NUAGE...

EN EFFET...
LE VIN QU'ANNE M'A FAIT BOIRE IL Y A 15 ANS...
POSSÉDAIT LE MÊME CHARME FRAIS QUE CELUI-CI.

...
JE CROIS QUE LES VINS DE JAYER ÉTAIENT AINSI, AVANT QU'IL NE SOIT ÉLEVÉ AU RANG DE DIVINITÉ...
COMME AVANT...
SI LA RUMEUR EST VRAIE...
JE PENSE QU'IL DÛ RIRE COMME UN ENFANT DE LA FARCE QU'IL A JOUÉE...

"JE VEUX FAIRE MON VIN COMME UN ARTISAN"...
CE SONT DES MOTS D'HENRI JAYER.

VOUS AVEZ DIT QUE CE VIN ÉTAIT À 99 % UN HENRI JAYER...

LES 1 % RESTANTS SONT SANS DOUTE LÀ.

ZIM

MERCI.
JE CROIS QUE CETTE SOIRÉE EST BIEN PLUS INTÉRESSANTE QUE SI NOUS AVIONS BU MA BOUTEILLE.

#10 Fin

CLOSED
#11 Le vin sucré des adieux

MAIS QUELLE JOIE !
JE NE SUIS PAS VIRÉ...
ET MONSIEUR MISHIMA A RETROUVÉ SA PETITE AMIE D'AUTREFOIS...
IL A LE VIN TRISTE...

MAIS...
CE N'EST PAS SEULEMENT GRÂCE À VOUS...

SI JE N'AVAIS PAS BU CE "PETIT TOUR DE DIEU"...
SE FAISANT PASSER POUR UN HENRI JAYER, ET GARDANT EN LUI À LA FOIS CETTE JEUNESSE...
ET TOUS CES VIEUX SOUVENIRS...
JE N'AURAIS JAMAIS COMPRIS LES INTENTIONS D'ANNE.
2001
CROS PARANTOU
RED BURGUNDY WINE
VIN NON FILTRE
PRODUCE of FRANCE

*NDT : vin aux complexités aromatiques rares, suite à l'attaque d'une pourriture noble

*Robert M. Parker Junior. Connu pour ses critiques acerbes, les PP (Parker point) qu'il décerne sont une référence pour les amateurs de vin.

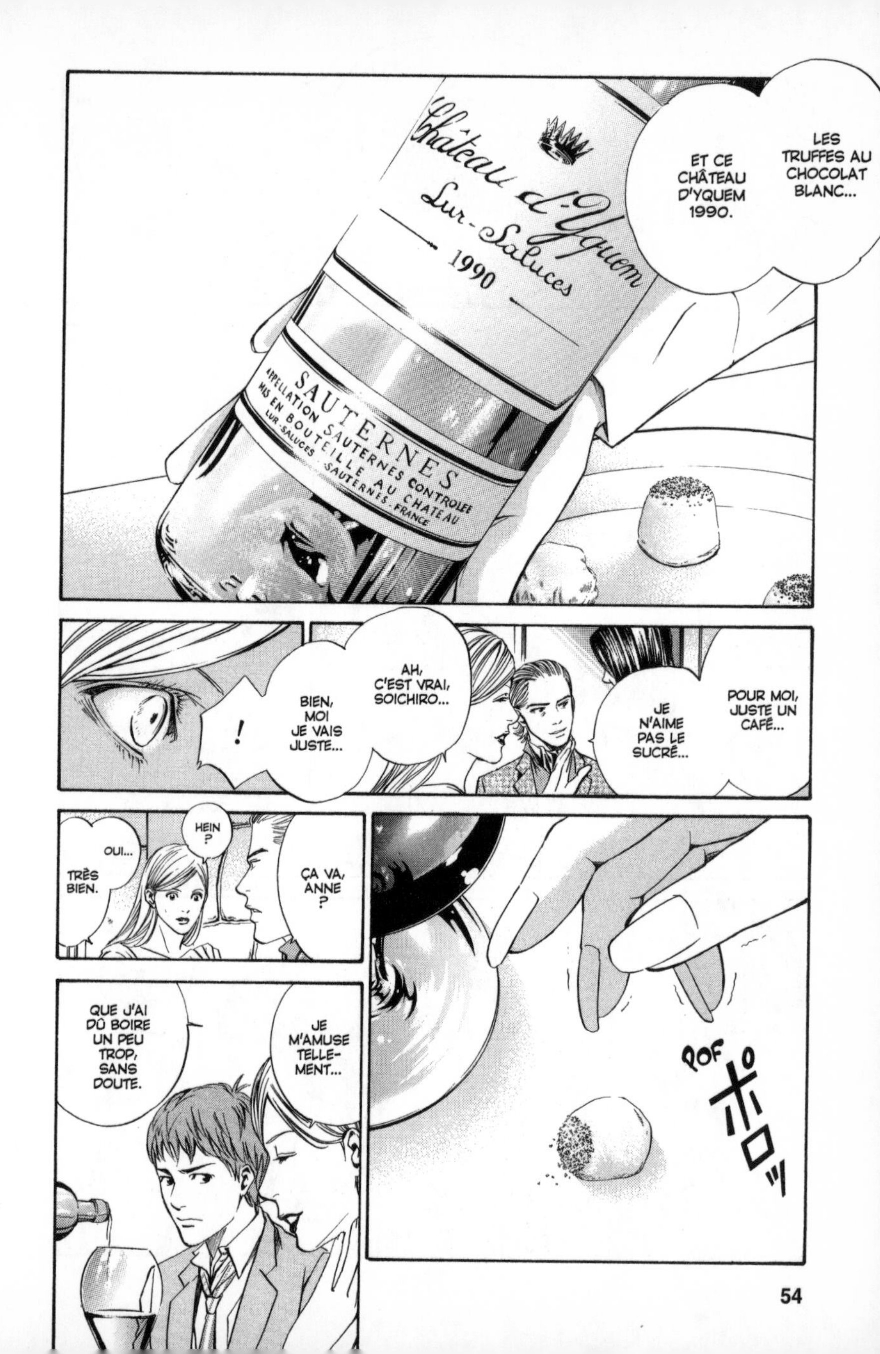
LES TRUFFES AU CHOCOLAT BLANC...
ET CE CHÂTEAU D'YQUEM 1990.
Château d'Yquem
Lur-Saluces
1990
SAUTERNES
APPELLATION SAUTERNES CONTROLEE
MIS EN BOUTEILLE AU CHATEAU
LUR-SALUCES . SAUTERNES . FRANCE
POUR MOI, JUSTE UN CAFÉ...
JE N'AIME PAS LE SUCRÉ...
AH, C'EST VRAI, SOICHIRO...
BIEN, MOI JE VAIS JUSTE...
!
POF
ポロッ
ÇA VA, ANNE ?
HEIN ?
OUI...
TRÈS BIEN.
JE M'AMUSE TELLE-MENT...
QUE J'AI DÛ BOIRE UN PEU TROP, SANS DOUTE.

MER-VEIL-LEUX...
L'YQUEM 90 EST UN GRAND MILLÉSIME...
TU EXAGÈRES ! DEPUIS HIER, TU ES ACCRO AUX GRANDS VINS...
JUSQUE-LÀ !
OOH...
ALORS, UN GRAND VERRE POUR MOI !

IL EST SI SUCRÉ, C'EST DÉLICIEUX !
OUI, EN EFFET...
...

DITES, ANNE...
CE VIN...
OUI ?
UN PRO-BLÈME ?

EUH... NON...
CE N'ÉTAIT RIEN...

JE VAIS ME REPOUDRER LE NEZ...
ガタ
CRRR

...

PSCHH!
PSCHHH!

PAS UNE CRISE...
PAS MAINTE-NANT...

PSCHH!
PSCHHH!
GNIP!

CLAC
カチャッ
ANNE...

!
VOUS NE VOUS SENTEZ PAS BIEN ?

CE MERVEILLEUX CHÂTEAU D'YQUEM M'EST MONTÉ À LA TÊTE, ON DIRAIT !
VOUS MENTEZ.

CE VIN...
EST ABÎMÉ.
HEIN ?!

UNE PERSONNE QUI A PU D'UNE GORGÉE...
DEVINER QUEL ÉTAIT LE VIN QUE NOUS AVIONS APPORTÉ...
NE PEUT PAS NE PAS REMARQUER L'ODEUR MÊME TRÈS LÉGÈRE DU BOUCHON MOISI...
DANS UN VIN DE DES-SERT.

AH BON...
IL ÉTAIT BOU-CHONNÉ...
C'EST BIEN LE TERME QUI DÉSIGNE UN DOMMAGE SUBI PAR LA BOUTEILLE À CAUSE DU BOUCHON ?
MAIS SI POUR TOI CETTE ODEUR EST "TRÈS LÉGÈRE",
IL VA DE SOI QU'UNE PERSONNE ORDINAIRE PASSE À CÔTÉ.
MAIS PAS VOUS.

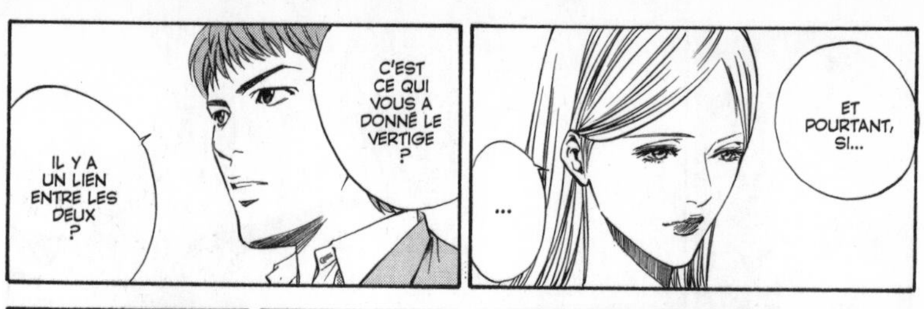
ET POURTANT, SI...
...
C'EST CE QUI VOUS A DONNÉ LE VERTIGE ?
IL Y A UN LIEN ENTRE LES DEUX ?

TU ES BIEN PARTICULIER, SHIZUKU...
ET TU DEVINES BIEN DES CHOSES À PARTIR D'UN VIN...
COMME SI C'ÉTAIT INNÉ.
ALORS, C'EST DONC QUE...

JE T'EN PRIE !
NE DIS RIEN À SOICHIRO !

J'AI VRAIMENT PASSÉ UNE EXCELLENTE SOIRÉE.
BONNE NUIT.

ANNE...
RESTES-TU LONGTEMPS AU JAPON ?

JE RENTRE DEMAIN SOIR...
J'AI UNE AFFAIRE À RÉGLER EN FRANCE.

...
AH BON...

BONNE NUIT... SOI-CHIRO.
BONNE NUIT.

BON ...
VOUS POURREZ RENTRER APRÈS AVOIR RANGÉ.
MONSIEUR MISHIMA...

NE POURRIEZ-VOUS PAS RESTER AUPRÈS D'ANNE ?
!
NE SOIS PAS IDIOT !
IL EST TARD...
ELLE DOIT ÊTRE FATIGUÉE...
JUSTEMENT !
RESTEZ AVEC ELLE !
AU MOINS, PENDANT QU'ELLE EST AU JAPON...
DE QUOI PARLES-TU ?
...

ELLE M'EN A PARLÉ PARCE QUE JE LUI AI PROMIS DE NE RIEN VOUS DIRE...
MAIS JE PENSE QU'IL VAUT MIEUX NE PAS TENIR CETTE PROMESSE...
ALORS VOICI LA VÉRITÉ...

ANNE EST TRÈS MALADE !
HEIN ?!
UNE TUMEUR AU CERVEAU ?!
OUI…
ELLE EST BÉNIGNE, MAIS MAL PLACÉE…
IL ARRIVE QUE COMME TOUT À L'HEURE, JE PERDE MES SENS…
DURANT CES CRISES, MON GOÛT ET MON ODORAT, EN PARTICULIER, DISPARAISSENT PRESQUE COMPLÈTEMENT…
COMMENT ?!
QUOI QUE JE BOIVE, JE PEUX ALORS SEULEMENT DIRE QUE C'EST DU LIQUIDE.
IDEM POUR LES ODEURS…
LES YEUX FERMÉS, JE NE SENTIRAIS PLUS LA DIFFÉRENCE ENTRE UN CHAMP DE FLEURS ET UNE SALLE DE CONFÉRENCE.

*NDT : fort trouble de l'odorat **NDT : absence du sens du goût

MAIS ALORS, POURQUOI...
NOUS N'AVONS PLUS 20 ANS...
ELLE A CHOISI DE PARTIR SANS RIEN DIRE.
TOUT CE QUE JE PEUX FAIRE, C'EST PRÉTENDRE NE RIEN SAVOIR.

...
MAIS...

NON...

VOUS VOUS TROMPEZ...
MONSIEUR MISHIMA !

ANNE A AUSSI DIT QUE...

LE MARIAGE DE RAISON DÉCIDÉ PAR SA FAMILLE NE L'A PAS RENDUE HEUREUSE...
QUE LA CHOSE LA PLUS PRÉCIEUSE QU'ELLE POSSÉDAIT ÉTAIT CETTE ANNÉE PASSÉE AVEC VOUS...
NON PAS SES 14 ANS DE MARIAGE...
ET QU'ELLE A PU CONTINUER À VIVRE GRÂCE À CE PASSÉ.

C'ÉTAIT IL Y A 15 ANS.
MAIS C'EST SUR UN MALENTENDU...
QUE VOUS VOUS ÊTES SÉPARÉS, À L'ÉPOQUE !

VOUS ALLEZ ENCORE LAISSER VOTRE FIERTÉ...
VOUS POUSSER À VOUS DIRE ADIEU ?!

VOUS ALLEZ ENCORE...
RENVOYER CE VIN À LA CAVE 15 ANS SANS LE BOIRE ?!
...
C'EST CE QUE VOUS VOULEZ ?!
TU ES BIEN JEUNE.
HEIN ?!
MAIS...

LA JEUNESSE, CE N'EST PAS SI MAL.

À L'HÔTEL IMPÉRIAL.
M. MISHIMA !

SHIZUKU...
JE VOUS REMERCIE, TOI ET TA JEUNESSE.

DÉPÊCHEZ-VOUS !

HEEIN ?

VOUS PARLEZ BIEN DE LA TERREUR DU BUSINESS, SOICHIRO MISHIMA ?!
C'ÉTAIT TELLEMENT ROMANTIQUE !

UNE MÉPRISE SUR UNE BOUTEILLE DE VIN AVAIT CHANGÉ CE JEUNE HOMME EN UN BUSINESSMAN FROID...
MAIS LES VÉRITABLES SENTIMENTS QUE CE VIN RECELAIT ONT RÉCHAUFFÉ SON CŒUR...
ET APRÈS 15 ANS, ILS ONT DISSIPÉ LE MALEN-TENDU.

QUE VONT-ILS DEVENIR, TU CROIS ?
JE SUIS SÛRE QUE MONSIEUR MISHIMA VA ALLER EN FRANCE...
POUR ANNE...
OUI, SANS DOUTE ...
VOILÀ !
POC !

*NDT : la tradition au Japon veut que l'on s'offre des chocolats pour la Saint-Valentin.

J'AI ENVIE DE BOIRE...
CE VIN QUE MON PÈRE M'A LAISSÉ EN ADIEU.
ON DIRAIT QUE JE NE PEUX PLUS ATTENDRE...

CELUI QUE TU AS LAISSÉ TOMBER SANS LE BOIRE, IL Y A 4 JOURS ?
MAINTENANT, JE VEUX LE GOÛTER.

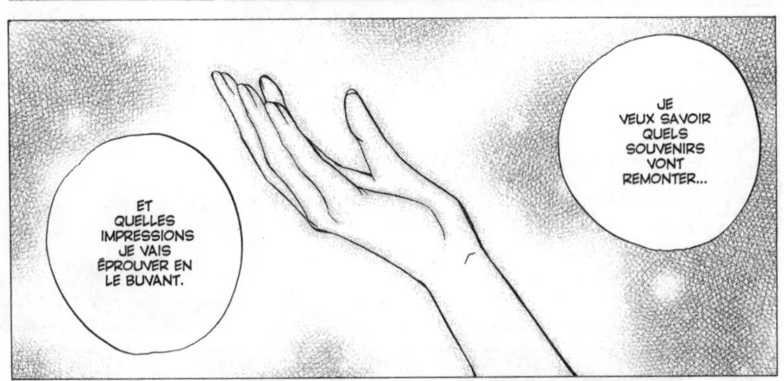
JE VEUX SAVOIR QUELS SOUVENIRS VONT REMONTER...
ET QUELLES IMPRESSIONS JE VAIS ÉPROUVER EN LE BUVANT.

...
DÉSORMAIS, JE ME FICHE DE CE DUEL AVEC TOMINE.

J'AI L'IM-PRESSION QUE...
CE VIN VA ME RAPPELER QUELQUE CHOSE...
COMME POUR ANNE ET MISHIMA, TOUT À L'HEURE.

J'EN SUIS SÛR...

#11 *Fin*

JE VEUX VITE GOÛTER CE VIN...
JE VEUX SAVOIR QUELS SOUVENIRS VONT REMONTER, ET QUELLES IMPRESSIONS JE VAIS ÉPROUVER EN LE BUVANT.

DIS...
SHIZUKU...
MOUI ?
...
OK, JE VAIS DEMANDER À L'AVOCATE.
VRAIMENT ?
EN ÉCHANGE...
JE VOUDRAIS ASSISTER À TON DUEL AVEC TOMINE.
JE PEUX ?

POURRAIS-TU...
ME FAIRE UNE FAVEUR ?

#12 Les juges

DIS...
TU AS ENCORE DU TRAVAIL ?
OUI...
TU VAS TE PRÉPARER POUR LA DÉGUSTATION AVEC LE GAMIN...
C'EST ÇA ?

TASTING ROOM

QU'EST-CE QU'IL Y A...
DANS CES BOÎTES DE PETRI ?
QUOI ?!
DE LA TERRE.
DE LA QUOI ?

CECI.
TOUT ÇA ?
C'EST DU SOL DE VIGNOBLE ?
QUE VAS-TU EN FAIRE ?
HEIN ?

MAIS PAS N'IMPORTE LAQUELLE...

DE LA TERRE DES VIGNES DE BOURGOGNE. JE ME SUIS DONNÉ DU MAL POUR LA RASSEMBLER.

AH !
MAIS QUE FAIS-TU ?!
NE MANGE PAS ÇA !

GRIOTTE-CHAMBERTIN...
UN PEU AU NORD...

BIEN SÛR, JE NE LA MANGE PAS.
JE ME CONTENTE DE GOÛTER.

ぱしっ
CRAC

NE ME DIS PAS QUE...
TU DEVINES AINSI DE QUEL VIGNOBLE IL S'AGIT...

VILLAGE DE VOSNE-ROMANÉE, ROMANÉE-CONTI...
AH NON...
C'EST SON PROLONGEMENT, LA ROMANÉE...

C'ÉTAIT AUTREFOIS LE MÊME VIGNOBLE, QUI A DEPUIS ÉTÉ DIVISÉ...
ILS SE RESSEMBLENT EN MATIÈRE DE QUALITÉ DU DRAINAGE ET DU SOL...
FORMIDABLE, MONSIEUR ! C'EST BIEN ÇA !
JE ME DISAIS QUE MÊME VOUS, VOUS POURRIEZ VOUS TROMPER, LÀ...
J'AI FAILLI...

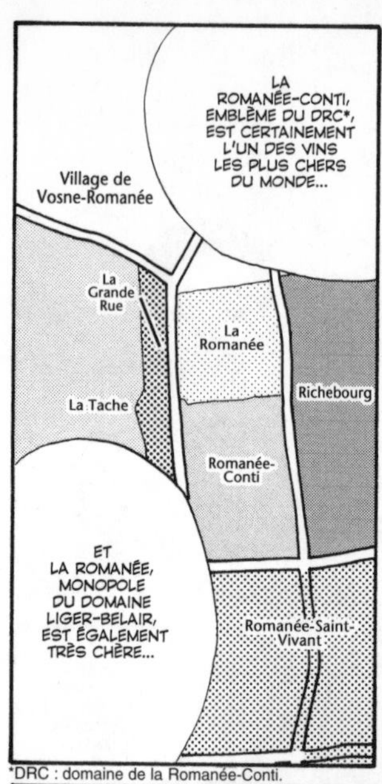

*DRC : domaine de la Romanée-Conti.

AUX SOURCES DE LA GESTION PARFAITE DE LA ROMANÉE-CONTI...

SE TROUVE UN VIGNOBLE CULTIVÉ DEPUIS LONGTEMPS DANS LE RESPECT DE LA NATURE.

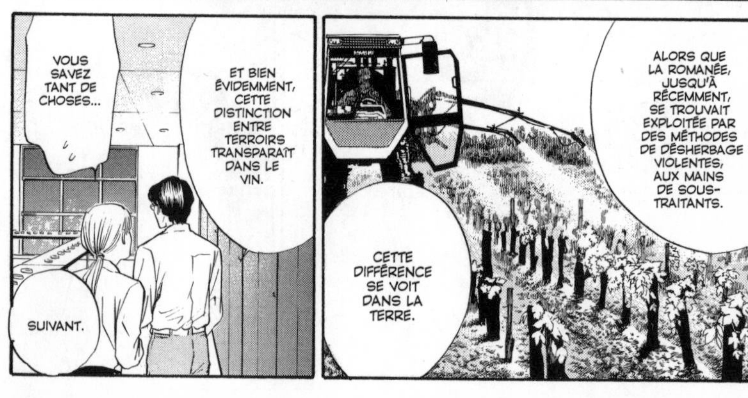

CE CALCAIRE, C'EST LE GRAND CRU DE CHAMBOLLE-MUSIGNY, LES BONNES MARES...
LE HAUT DU COTEAU...
...
LE GÉNIE ET LA FOLIE...
SONT LES DEUX FACES D'UNE MÊME MÉDAILLE, COMME ON DIT.

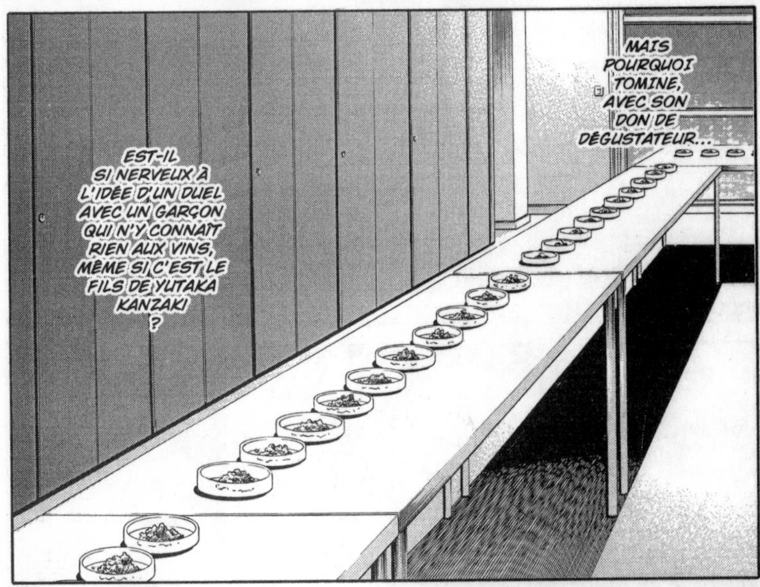
MAIS POURQUOI TOMINE, AVEC SON DON DE DÉGUSTATEUR...
EST-IL SI NERVEUX À L'IDÉE D'UN DUEL AVEC UN GARÇON QUI N'Y CONNAÎT RIEN AUX VINS, MÊME SI C'EST LE FILS DE YUTAKA KANZAKI ?

ÇA ÉVEILLE MON INTÉRÊT...
POUR CE JEUNE SHIZUKU.

Deux jours plus tard.
DRRRING!
DRRRING!

ALLÔ ?
KIRYU À L'APPAREIL.
MAÎTRE.
CELA FAISAIT BIEN LONGTEMPS...

ARRÊTE LES SALAMALECS...
ET PAS LA PEINE NON PLUS DE M'ENVOYER UN MESSAGER...

LE FAIT QUE VOUS APPELIEZ...
SIGNIFIE QUE VOUS ACCEPTEZ MA REQUÊTE ?

PFF...
MOUAIS.
JE VOUS ATTENDS.

Résidence Kanzaki.

...
CRR

BONJOUR, MAÎTRE...
KIRYU.
BONJOUR, MONSIEUR TOMINE.

VOUS ÊTES LES PERSONNES DONT ON M'A PARLÉ...

MAKI SAIONJI, PRÉSIDENTE DE SAION TRADING...
ENCHANTÉE.
ET MIYABI SHINOHARA, APPRENTIE SOMMELIÈRE...
C'EST ÇA.

RAVIE DE VOUS CONNAÎTRE. JE SUIS RYOKO KIRYU, À QUI MAÎTRE KANZAKI A CONFIÉ LA GESTION DE SES VINS ET DE TOUT...
CE QUI Y A TRAIT.
CE QUI INCLUT, BIEN SÛR, LES GOUTTES DE DIEU ET LES 12 APÔTRES DE SON TESTAMENT.

LES 12 APÔTRES ?
MIYABI...
JE VOUS PRÉSENTE...
L'ŒNOLOGUE ISSEI TOMINE.

ENCHANTÉ.

C'EST DONC LUI, CE DÉGUSTATEUR DE GÉNIE, CELUI QU'ON APPELLE LE PRINCE DU VIN...
MOI DE MÊME.
J'AI LU TOUS VOS ARTICLES.
IL N'A PAS L'AIR AUSSI DÉSAGRÉABLE QUE SHIZUKU LE DIT...

AU FAIT, OÙ EST SHIZUKU ?
HEIN ?

EUH... EH BIEN...
IL M'A APPELÉE TOUT À L'HEURE...
IL A TROP BU HIER ET A EU UNE PANNE DE RÉVEIL.
IL NE S'EST PAS RÉVEILLÉ ?
PFF
ON DIRAIT QUE L'IDÉE...
DE PERDRE LE TOIT AU-DESSUS SA TÊTE NE LE STRESSE PAS.
CE N'EST PAS PLUTÔT TOI QUI STRESSES TROP ?

...

"MAÎTRE TOMINE"...
TU AS LE VISAGE BIEN FERMÉ...
BAH ...
À L'IDÉE DE PIQUER SA MAISON À QUELQU'UN, N'IMPORTE QUI SE SENTIRAIT MAL !
TU JOUES L'INDIFFÉRENCE ...
EN SACHANT QUE TU VAS PERDRE ?
COMMENÇONS, MAÎTRE KIRYU !
OUI...
...

J'AI PRÉPARÉ EXACTEMENT LE MÊME VIN QUE CELUI QUI VOUS A ÉTÉ PRÉSENTÉ LA SEMAINE DERNIÈRE.

CAR LE MAÎTRE EN POSSÈDE DE NOMBREUSES BOUTEILLES.
OOH...
ATTENDEZ UN INS-TANT.

J'AI ACCEPTÉ CETTE DÉGUSTA-TION...
MAIS COMMENT COMPTEZ-VOUS DÉSIGNER LE GAGNANT ?

IL ÉTAIT PRÉVU QUE LA VICTOIRE SOIT ATTRIBUÉE À LA DÉFINITION LA PLUS PROCHE DE CELLE DE YUTAKA KANZAKI...
MAIS JE ME DEMANDE QUI SERA EN MESURE D'EN JUGER.

UN AMATEUR NE PEUT LE FAIRE, ET SINCÈRE-MENT...
MAÎTRE KIRYU, VOUS N'ÊTES GUÈRE PLUS QUE CELA.
...

BAH... SI L'ON S'EN RAPPORTE À LA MANIÈRE DONT YUTAKA KANZAKI A DÉCRIT LE MÊME VIN DANS SON OUVRAGE...
C'EST FAISABLE.
JE NE PENSE PAS QUE LE DUEL SOIT SI SERRÉ, APRÈS TOUT.
...

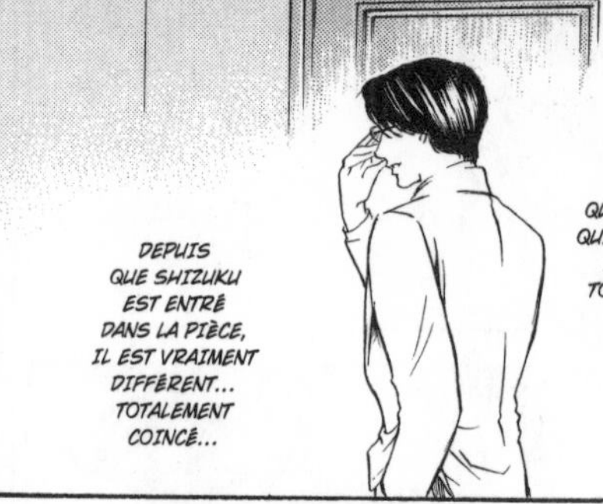
MAIS QU'EST-CE QUI ARRIVE À CE TOMINE...
DEPUIS QUE SHIZUKU EST ENTRÉ DANS LA PIÈCE, IL EST VRAIMENT DIFFÉRENT... TOTALEMENT COINCÉ...

CE NE PEUT ÊTRE SEULEMENT PARCE QU'ILS NE S'ENTENDENT PAS...
BON, ALLEZ, BUVONS.

JE ME FICHE DE CE DUEL.
TOUT DE QUI M'INTÉRESSE, C'EST DE VITE...
LE GOÛTER.

ENCORE TES AIRS BRAVACHES ...

BIEN. MAÎTRE KIRYU, VOUS JUGEREZ D'APRÈS LE LIVRE DE MAÎTRE KANZAKI.

DÉSOLÉE, MAIS CE VIN...
N'Y EST PAS MENTIONNÉ.

QUOI ?
MAIS ALORS... LE DUEL NE PEUT...
NE VOUS EN FAITES PAS, MONSIEUR TOMINE.

J'AI INVITÉ ICI UN VÉTÉRAN DE LA DÉGUSTATION. C'EST UN VIEIL AMI DE MAÎTRE KANZAKI, QUI LUI TÉMOIGNAIT SON ENTIÈRE CONFIANCE...
ET QUI A MAINTES FOIS...
BU ET DISCUTÉ DE CE VIN AVEC LUI.

OH ?
UN VIEIL AMI DE PAPA ?

UN DÉGUSTATEUR, VOUS DITES ?
CH'SUIS JUSTE UN VIEIL ALCOOLO, MOI...

HELLO...
ISSEI.

M... MAÎTRE ROBERT ?!
AAAAH!

ÇA FAIT BIEN TROIS ANS...
T'AS FAIT TON CHEMIN.
VIEUX ROUBLARD !
T'ÉTAIS UN AMI DU PATERNEL !
VOUS, ON S'EST VUS Y'A DEUX JOURS...
HO HO HO HO !

AUCUN D'ENTRE VOUS N'A D'OBJECTIONS, HEIN ?
BON, ALORS COMMENÇONS...
J'AI HÂTE D'EN BOIRE, MOI.
YOSHIDA ...
OUI, MADAME.

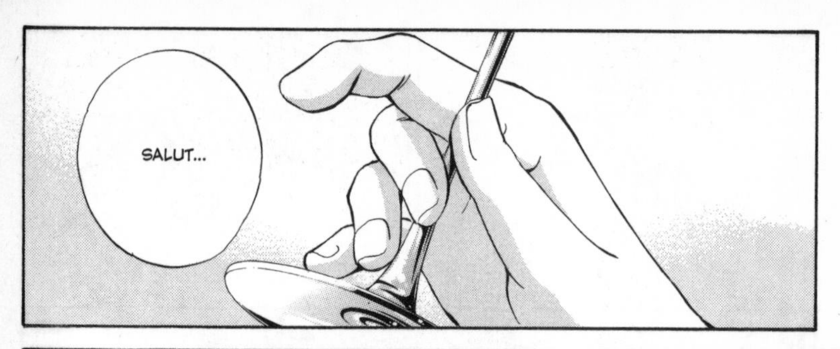
SALUT...

COMME ON SE RETROUVE...
ET CETTE FOIS-CI, JE VAIS TE BOIRE !
#12 Fin

ET CETTE FOIS-CI...
JE VAIS TE BOIRE !

#13 Première manche

ドックン
TOC
ドックン
TOC
ドックン
TOC

TOC
ドックン

YUTAKA KANZAKI...
POURQUOI AVOIR CHOISI UN CHÂTEAU MOUTON ROTHSCHILD ?

1982... JE M'EN SOUVIENS BIEN...
C'ÉTAIT LA SAISON DES VEN-DANGES...

MAMAN ...
QUE FAISONS-NOUS ICI ?

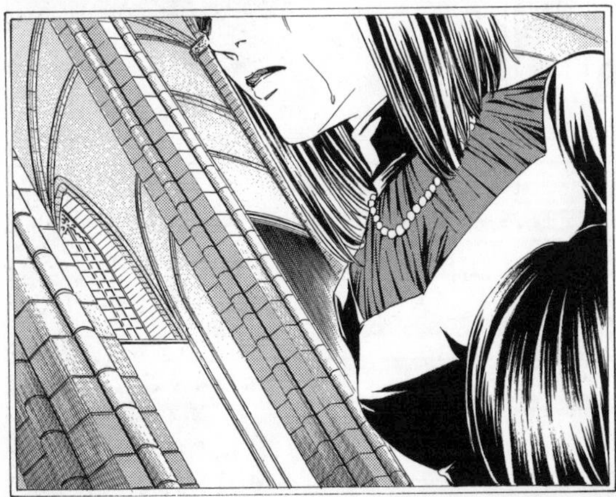

...

YUTAKA... TU ES BIEN CRUEL...
MAIS LE VIN L'EST AUSSI...

MAÎTRE, VOICI DONC LE DÉBUT...
DE CE LONG DUEL ENTRE SHIZUKU KANZAKI ET ISSEI TOMINE...

POURQUOI...
L'ATMOSPHÈRE EST-ELLE SI LOURDE ?

IL NE S'AGIT PAS QUE D'UNE DÉGUSTATION À L'AVEUGLE...
IL SE PASSE QUELQUE CHOSE AUQUEL JE N'AI PAS ACCÈS...
COMME SI J'ESSAYAIS DE CUEILLIR L'UNIQUE FLEUR QUI ÉCLORAIT SUR UN SOMMET...

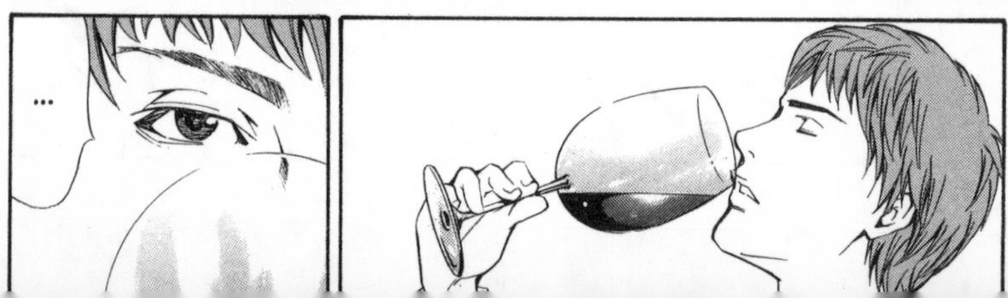
...

HEIN ?!
OÙ SUIS-JE...

UNE VIGNE ?!

SHIZUKU.
PRIE…

LE CORPS DE TA MÈRE RETOURNE À LA TERRE…
ET SON ÂME S'ÉLÈVE VERS LE CIEL.

POF
コトッ

SHI...
SHIZUKU ?
VOUS AVEZ TERMINÉ...
TOUS LES DEUX ?
J'AI DÉJÀ RÉPONDU LA SEMAINE DERNIÈRE...
JE NE FAISAIS QUE VÉRIFIER.

J'AI LA CERTITUDE QUE MON IMPRESSION CORRESPOND À L'IMAGE QU'A EUE DE CE VIN...
YUTAKA KANZAKI.
TRÈS SÛR DE TOI, COMME TOUJOURS.
EH BEN ! COMMENCE, POUR VOIR.
QU'EST-CE QUE CE VIN ?
DOIS-JE PARLER LE PREMIER ?
COMMENT ÇA ?
NORMALEMENT, DANS LES DÉGUSTATIONS À L'AVEUGLE...
ON PROPOSE LES RÉPONSES DE LA MÊME MANIÈRE.
IL N'EST PAS IMPOSSIBLE QUE SHIZUKU SOIT INFLUENCÉ PAR MON IMPRESSION.
JE ME TROMPE, MAÎTRE ROBERT ?
INUTILE DE T'EN FAIRE.
JE NE CROIS PAS QUE SHIZUKU AIT LA MOINDRE ATTENTION À PRÊTER À TES PAROLES.
TRÈS BIEN...
JE ME LANCE LE PREMIER...

CE VIN EST "L'ANGÉLUS" DE MILLET.

COMME CE FAMEUX TABLEAU, QUI DÉCRIT LA SILENCIEUSE PRIÈRE POUR LES BIENFAITS DE LA TERRE...
CE VIN EXPRIME UN APPEL AU TERROIR.

IL... IL EST TRÈS FORT ! AVEC CES QUELQUES MOTS, IL ME PERMET DE VOIR LA NATURE DE CE VIN AUSSI CLAIREMENT QUE S'IL L'AVAIT PEINT SUR UNE TOILE.
C'EST PEUT-ÊTRE BIEN UN GÉNIE...

JE VOIS...
INTÉRESSANT, COMME TOUJOURS...

PUIS-JE LE PRENDRE COMME UN COMPLIMENT ?

SHI-ZUKU !
HEIN ?

QU'AS-TU VU ?
QU'AS-TU RESSENTI À TRAVERS CE VIN ?

SHI... SHIZUKU...

LE DERNIER...
ADIEU.

HEIN ?

...

...

J'IGNORE POURQUOI...
MAIS EN BUVANT CE VIN...
JE ME SUIS RAPPELÉ UN ÉVÉNEMENT QUE J'AVAIS OUBLIÉ, AVANT LA MORT DE MA MÈRE.

J'ÉTAIS DANS UN VIGNOBLE...
LE CIEL ÉTAIT BLEU ET C'ÉTAIT DÉJÀ L'AUTOMNE...
CE JOUR-LÀ, LE SOLEIL BRILLAIT AUSSI FORT QU'AU CŒUR DE L'ÉTÉ...
ET POUR S'EN PROTÉGER, MA MÈRE PORTAIT UN GRAND CHAPEAU...

...
J'AVAIS LES MAINS PLEINES DE RAISINS CUEILLIS DANS LE VIGNOBLE...
JE LUI EN AI OFFERT, VOULANT QU'ELLE Y GOÛTE.
...

ELLE L'A PRIS...
MAIS NE L'A PAS MANGÉ.

CE FUT LA DERNIÈRE FOIS...
QUE JE PRIS MA MÈRE DANS MES BRAS.

J'AVAIS COMPLÈTEMENT OUBLIÉ TOUT CELA...
JUSQU'À CE QUE JE BOIVE CE VIN.

POUR MOI, CE VIN...
EST UNE GRAPPE DE RAISIN...
QUI RENFERME DES SOUVENIRS D'ENFANCE...
ET LE DERNIER ADIEU À MA MÈRE.

PFF !
FLAP
A-T-IL UN GOÛT SI TRISTE...
Château Mouton Rothschild 1982 PAUILLAC
CE CHÂTEAU MOUTON ROTHSCHILD 82 ?
J'EN AI DÉJÀ BU, MAIS JE N'AI PAS PENSÉ AUX ADIEUX, LOIN DE LÀ...
N'EST-CE PAS, ISSEI ?
JE SUIS D'ACCORD.
AU FAIT, EN QUELLE ANNÉE TA MÈRE EST-ELLE MORTE, SHIZUKU ?
EN 1982.

JE M'EN DOUTAIS.
CES DERNIERS JOURS, TU AS FAIT DES RECHERCHES SUR CE VIN...
ET TU AS PU DÉCOUVRIR QUE C'ÉTAIT UN MOUTON 82.
TU L'AS ALORS ASSOCIÉ À LA MORT DE TA MÈRE, QUE TU AVAIS OUBLIÉE...
MAIS CELA NE PEUT ÊTRE CONSIDÉRÉ COMME LE RÉSULTAT D'UNE DÉGUSTATION.

N'EST-CE PAS, MAÎTRE ROBERT ?
MON-SIEUR ROBERT...

ISSEI. TU AS RAI-SON...

ON PEUT DIRE QUE TA DÉFINITION DU MOUTON...
CORRESPOND PARFAITEMENT À L'ESSENCE DE CE VIN.
EN PLUS D'UNE OCCASION, J'EN AI BU...
ET J'EN AI DISCUTÉ AVEC YUTAKA.

LORS DE L'UNE D'ELLES...
NOUS NOUS PROMENIONS AU LOUVRE, À PARIS.
ET DEVANT "L'ANGÉLUS" DE MILLET...

ROBERT...
IL ME VIENT L'ENVIE DE BOIRE DU CHÂTEAU MOUTON 82.
PFF...

HA HA HA HA !
QUELLE SURPRISE !
YUTAKA KANZAKI A DIT ÇA ?
ALORS, LE JUGEMENT EST CLAIR !
N'EST-CE PAS, MAÎTRE KIRYU ?

OUI...
LA VICTOIRE...
REVIENT À ISSEI TOMINE.
OH, NON !
DES OBJECTIONS, SHIZUKU ?

AUCUNE.

COMME JE VOUS L'AI DIT, JE ME FICHE DE CE DUEL COMME DE MA PREMIÈRE COUCHE-CULOTTE.
QUAND JE L'AI SENTI, LA SEMAINE DERNIÈRE, UNE VAGUE IMAGE M'EST APPARUE. JE VOULAIS JUSTE...
LE BOIRE POUR SAVOIR CE QUE C'ÉTAIT.
ET JE SUIS SATISFAIT.
TU ACCEPTES BIEN JOYEUSEMENT TA DÉFAITE, MON CHER...
JE N'AVAIS PAS MIS LES PIEDS DANS CETTE MAISON DEPUIS LONGTEMPS, ALORS...
RIEN NE M'Y ATTACHE.
PAR CONTRE...

JE NE RENONCERAI PAS AUX VINS DE MON PÈRE.
JE VAIS DONC ME LANCER À LA RECHERCHE DE CES VINS QU'IL A NOMMÉS LES 12 APÔTRES ET LES GOUTTES DE DIEU.

SHIZUKU !

...

MAÎTRE...
PUIS-JE EMPORTER CE VIN ?
JE VOUDRAIS PASSER LA SOIRÉE...
AVEC CETTE BOUTEILLE QUI RESSUSCITE TANT DE VIEUX SOUVENIRS...

ALLEZ-Y...
PRENEZ-LA.

ON Y VA, MIYABI !
OK !

SATISFAIT, ISSEI ?
BIEN SÛR.
ON NE SE LASSE JAMAIS DU GOÛT DE LA VICTOIRE.
TU CROIS AVOIR GAGNÉ ?
TU AURAIS TORT DE PENSER QUE SHIZUKU...
SAVAIT QU'IL S'AGISSAIT D'UN VIN DE 82.
...

IL AVAIT CERTAINEMENT TROUVÉ QU'IL S'AGISSAIT D'UN MOUTON...
MAIS IL EST TRÈS IMPROBABLE QU'UN GARÇON AYANT BU SA PREMIÈRE GORGÉE DE VIN IL Y A SEULEMENT QUELQUES JOURS EN DEVINE L'ANNÉE.
POUR CELA, IL AURAIT FALLU QU'IL EN AIT DÉJÀ BU...
OR CE VIN EST DIFFICILE À SE PROCURER...

ET POUR CES DEUX COMIQUES, IMPOSSIBLE.
ILS ONT L'AIR FAUCHÉS...
LA SECOUE PAS !
TU FAIS REMONTER LA LIE !
T'AS QU'À MARCHER MOINS VITE, ALORS !

ALORS D'OÙ VIENT...
LE SOUVENIR DE LA MORT DE SA MÈRE ?

C'EST LE RAISIN.

QUOI ?
IL A MANGÉ DU RAISIN DONT CE VIN A ÉTÉ TIRÉ.

CET ALCOOL VIEUX À LA ROBE GRENAT L'A GUIDÉ VERS LE GOÛT DU RAISIN AVANT QU'IL NE DEVIENNE VIN...
RAISIN QU'IL N'A MANGÉ QU'UNE FOIS, IL Y A PLUS DE VINGT ANS...

ET MALGRÉ CELA, IL A PARFAITEMENT DÉCODÉ...
LE VÉRITABLE MESSAGE QU'A LAISSÉ YUTAKA KANZAKI, UN DERNIER ADIEU.

TOI, PAR CONTRE, TU AS EXPRIMÉ CE QUE CE VIN ÉTAIT À PRÉSENT. C'EST TOUT.
MAIS C'ÉTAIT LA RÈGLE DU JEU.

MA VICTOIRE EST INDISCUTABLE.
...

ISSEI...
SI TU PARLES DE CECI COMME D'UN MATCH, TU AS GAGNÉ, C'EST UN FAIT.
MAIS QUANT À SAVOIR LEQUEL DE VOUS DEUX A LE PLUS PROFONDÉMENT COMPRIS CE VIN... JE TE LAISSE Y RÉFLÉCHIR.

UN JOUR...
LE MESSAGE QUE YUTAKA KANZAKI AVAIT ENFERMÉ DANS CE VIN...
TE PARVIENDRA PEUT-ÊTRE...

#13 Fin

OH !

C'EST BIEN RARE QUE TU T'INTÉRESSES AUTANT À QUELQU'UN...

SARAH...
LA SÉANCE VA DÉBUTER !
DIS-LEUR QUE JE SUIS ANÉMIÉE ET QUE JE ME REPOSE.
HEIN ?
PARCE QUE...

#14 *Une jolie fleur dans une peau de vache...*

CRR
カラッ…
C'EST REPARTI…
ENCORE MALADE…

D'OÙ M'APPEL-LES-TU ?
DE GUAM. DES PHOTOS…
POUR UN MAGAZINE. DÈS QUE LA SÉANCE EST FINIE, JE RENTRE À TOKYO.

SI ON DÎNAIT ENSEMBLE, À MON RETOUR ?
VRAIMENT ?!
AH, BEN JE VAIS ANNULER MES PROJETS, ALORS !

UN TRAVAIL ?
OUI, UNE PUB POUR UNE MARQUE DE BIÈRE.

DE BIÈRE ?
OUI…

LES BIÈRES TAIYO.

UN PROBLÈME ?
RIEN QUI TE CONCERNE ...
C'EST UNE PUB ORDINAIRE, NON ?
ON ANNULE LE DÎNER, ALORS.
FAIS SÉRIEUSEMENT TON BOULOT.
QUOI ?!
SALUT.
AH, LÀ, LÀ...
CE QU'IL PEUT ÊTRE FROID...

MAIS...
C'EST ÇA QUE J'AIME CHEZ LUI.

Siège des bières Taiyo.
T'ES VRAIMENT DIFFICILE À COMPRENDRE.

TOI QUI REFUSAIS ABSOLUMENT TON TRANSFERT AU DÉPARTEMENT VINS...
MAIS BON, SI TU Y TIENS TELLEMENT...

CEPENDANT, CE NOUVEAU PÔLE EST ENCORE PETIT...
ET TOI QUI DOIS EN DEVENIR LE PILIER, TU AS BEAU ÊTRE LE FILS D'UN FAMEUX ŒNOLOGUE...
TU N'EN RESTES PAS MOINS UN DÉBUTANT.

C'EST LÀ QU'INTERVIENT MLLE SHINOHARA, QUI A ACCEPTÉ UN CONTRAT TEMPORAIRE.
JE FERAI DE MON MIEUX !

HÉ !
QUOI ?

ELLE EST MIGNONNE...
CE SERAIT PAS TA COPINE ?
PAS DU TOUT.
DÉSOLÉ !
VRAIMENT ?!
J'ENTENDS TOUT, LÀ...

JE TE PRÉVIENS...

HONMA, L'AUTRE TYPE QU'ILS ONT TRANSFÉRÉ AU DÉPARTEMENT VINS, A MAUVAISE RÉPUTATION.
FAIS EN SORTE D'ÉVITER CE GENRE DE MALEN-TENDU...
MON ...
MON-SIEUR HAMA...
VOUS ME FAITES PEUR...

MERCI BEAUCOUP, MIYABI...
TU M'ENLÈVES UNE ÉPINE DU PIED, SUR CE COUP-LÀ.
DE RIEN...
C'EST LE GENRE DE TRAVAIL POUR LEQUEL J'AURAIS POSÉ MA CANDIDATURE, DE TOUTE FAÇON...
MAIS POUR LE RESTAURANT, PAS DE PROBLÈME ?
NON !

QUAND J'AI DEMANDÉ À MONSIEUR MISHIMA, IL M'A DIT QU'IL VOULAIT ABSOLUMENT QUE J'ACCEPTE...
QUOI ?!
ET PENDANT MON ABSENCE, IL ME REMPLACE AU SERVICE DU VIN.
IL VEUT RETROUVER LA PASSION DE SA JEUNESSE...
AU FAIT, TU AS LU LE TESTAMENT DE TON PÈRE ?
EH BEN...

NON, PAS ENCORE.
JE N'Y CONNAIS RIEN EN VINS ET JE NE VEUX PAS RISQUER D'ÊTRE INFLUENCÉ.
JE VAIS LE LAISSER ENCORE UN PEU DORMIR DANS UN TIROIR.

CELUI QUI COMMANDE AUX 12 APÔTRES...
C'EST LE CHRIST, NON ?

MOI, J'AI HÂTE DE SAVOIR...
QUELS SONT LES VINS QU'IL A CHOISIS COMME LES 12 APÔTRES ET LES GOUTTES DE DIEU...

CELA NE VA PAS ÊTRE FACILE DE CHOISIR SEULEMENT 13 VINS...
PARMI LES DIZAINES DE MILLIERS QUI EXISTENT.

POURTANT, JE N'AI PAS LE CHOIX...
CET ABRUTI DE TOMINE A DÉJÀ DÛ S'Y METTRE...

NE T'IMPATIENTE PAS... DÉSORMAIS...
EN TRAVAILLANT AU DÉPARTEMENT VINS, TU AURAS SANS DOUTE PLUS D'OCCASIONS D'EN BOIRE.
AH !
TU AS RAI-SON...
C'EST LÀ.
Départements Vins

À L'OUEST
BONJOUR !
VLAN
BIP
BIP
BIP
BIP
JE SUIS SHIZUKU KANZAKI, TRANSFÉRÉ DU SERVICE COM...

EUH...
AH, SHIZUKU.
JE SUIS AU COU-RANT.
JE SUIS LE DIRECTEUR, M. KAWA-RAGE.
OH, MON MIGNON !
ET VOICI MME KAWAMATA, NOTRE SECRÉTAIRE.

EH BIEN, CETTE PETITE SHINOHARA...
EST PLUTÔT MIGNONNE !
...
...
HONMA VA EN AVALER SA CHIQUE...
AH ...
MME KAWAMATA, PRÉPAREZ LEURS CARTES DE VISITE.

VLAN
ガチャッ
SHIZUKU !
SALUT, UCHIYAMA.
QUOI DE NEUF ?
T'AS UN MOMENT ?
AU FAIT, TU AVAIS BIEN POSTULÉ POUR LE SERVICE PUBLICITÉ ?
OUI, ET J'AI DÉJÀ MON PREMIER BOULOT...

ALORS, ET TOI...
T'ES LIBRE AUJOURD'HUI ?
COMME TU VOIS...

ALORS, C'EST DÉCIDÉ...
HEIN ?
TU VIENS M'AIDER.
HÉ ! SHIZUKU !

RELÈVE PLUS LA TÊTE...
COMME ÇA !
CLIC
CLIC
CLIC
CLIC
OUIII... EXCELLENT, SARAH !
TON SOURIRE EST PARFAIT !
TAIYO

CLIC
CLIC
BON, SOIS DIABOLIQUEMENT SEXY, MAINTENANT...
CLIC
BIEN !
OUI ! COMME ÇA !
CLIC
TAIYO
OUI, C'EST BIEN...
THAT'S GOOD !
BON... MAINTENANT...
DIS-MOI POURQUOI JE DOIS ASSISTER À CE SHOOTING ?
ALLONS...
POUR ME FAIRE PLAISIR...
REGARDE LE PHOTOGRAPHE, LÀ... C'EST DU LOURD !
PLUS À DROITE...
ET DEPUIS QUELQUE TEMPS, IL EST FOU DE VIN...
ALORS, IL FÊTE LA FIN DES SÉANCES DANS DES BARS À VINS, ET POSE DES QUESTIONS-PIÈGES...
IL PARAÎT QUE SI LES AUTRES N'Y CONNAISSENT RIEN, IL SE MET EN ROGNE.
PFF !
ALORS, TU VEUX QUELQU'UN POUR LUI RÉPONDRE...
MAIS JE VIENS DE COMMENCER...
ALORS JE NE SUIS PAS SÛR DE POUVOIR T'AIDER.

T'ES CON. T'ES LE FILS D'UN ŒNOLOGUE DE GÉNIE, JUNIOR !
RACONTE-LUI UNE ANECDOTE PEU CONNUE SUR TON PÈRE ET IL SERA RAVI.
AU REVOIR !
AU RE-VOIR !
HUM ...
AH...
MERCI POUR TOUT, SARAH.
JE SUIS UCHIYAMA, DES BIÈRES TAIYO.
BONJOUR.

SHIZUKU, DE LA MÊME SOCIÉTÉ.
TROP MIGNONNE...

...
QUOI DONC ?
HI HI
RIEN !

VOUS ÊTES BEAU GARÇON...
PAS DU TOUT LE STYLE EMPLOYÉ DE BUREAU.

SALUT !

AH, MONSIEUR PLAÎT AUX DAMES !!
IL EMBALLE LES TOPS!
C'ÉTAIT JUSTE DE LA POLI-TESSE !
HEIN ? N'IMPORTE QUOI ?!
EH, ON PARLE DE SARAH, LA STAR MON-TANTE DES TOP MODELS !
ALORS MÊME ÇA, C'EST DÉJÀ TROP !
TU VAS VOIR !

HUUUM...
JE NE VOIS PAS DE BONS MILLÉSIMES...

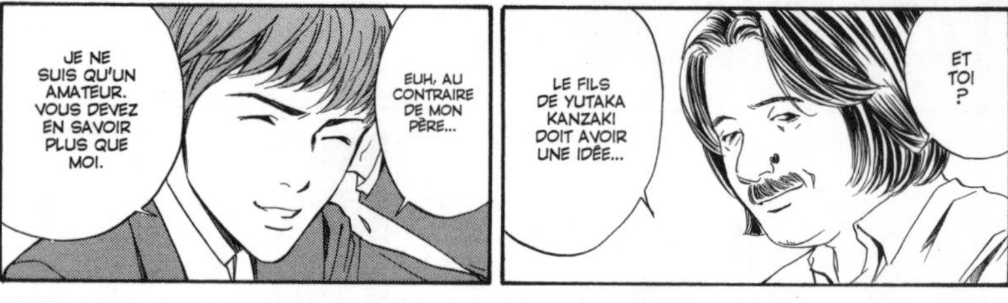
ET TOI ?
LE FILS DE YUTAKA KANZAKI DOIT AVOIR UNE IDÉE...
EUH, AU CONTRAIRE DE MON PÈRE...
JE NE SUIS QU'UN AMATEUR. VOUS DEVEZ EN SAVOIR PLUS QUE MOI.

ENCORE UN MODESTE, HEIN, UCHIYAMA ?
NON, IL EST PLUTÔT DU GENRE À BOIRE...
POUR LE RESTE, IL A BESOIN DE VOS LUMIÈRES...
HA HA HA... OUI, TOUJOURS DES FLATTERIES...
AH !
SUR CETTE PAGE, IL Y A QUELQUES BONNES BOUTEILLES...

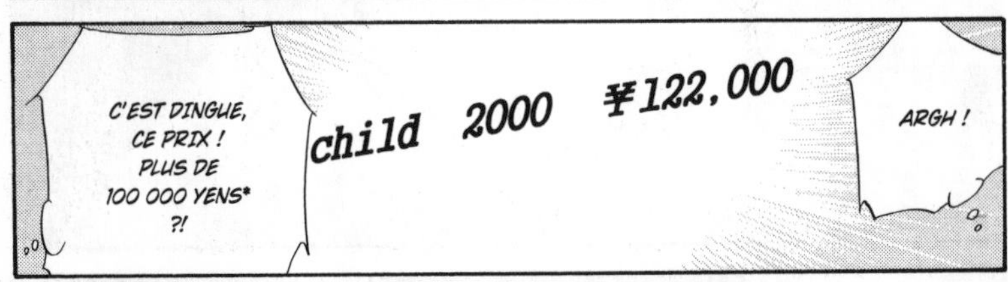

*NDT : environ 650 euros.

*NDT : 20 ans est l'âge de la majorité légale au Japon.

QUAND ON LE TOURNE DANS LE VERRE, LE VIN S'AÈRE ET SON GOÛT S'ADOUCIT...
BIEN... ALORS, JE VAIS VOUS DEMANDER DE COMMENTER CE VIN...

TOI D'ABORD, UCHIYAMA ...
OUI !
EUH...
COMMENT DIRE... IL A DU CORPS...
PROBA-BLEMENT, C'EST UN VIN TRÈS CHER ET TRÈÈÈS CORSÉ...
HEIN ?
TU NE TROUVES RIEN D'AUTRE À DIRE ?
BON, ET TOI, SARAH ?

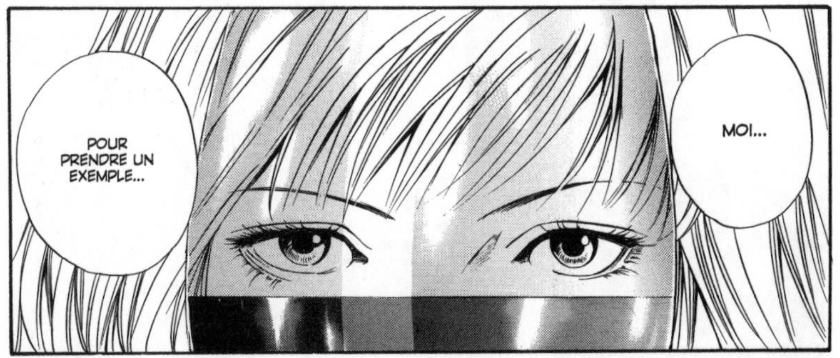
MOI...
POUR PRENDRE UN EXEMPLE...

JE LE COMPARERAIS...
À UN "NOUVEAU-NÉ ASSASSINÉ", SANS DOUTE.
Château Mouton Rothschild
2000
TOUTE LA RECOLTE A ETE MISE EN BOUTEILLE AU CHATEAU
PAUILLAC

NON, C'EST MÊME BIEN PIRE QUE ÇA...
COMME UN ENFANT QUE NOUS AURIONS VIOLEMMENT ARRACHÉ AUX ENTRAILLES DE SA MÈRE...

JE L'ASSOCIE À UN ACTE SADIQUE, CRUEL ET AVEUGLE...
...
DIS...

N'ES-TU PAS D'ACCORD AVEC MOI...
SHIZUKU KANZAKI ? ♡
#14 Fin

JE LE COMPARERAIS À UN "NOUVEAU-NÉ ASSASSINÉ".
NON, C'EST MÊME BIEN PIRE QUE ÇA...
COMME UN ENFANT QUE NOUS AURIONS VIOLEMMENT ARRACHÉ AUX ENTRAILLES DE SA MÈRE...

JE L'ASSOCIE À UN ACTE SADIQUE, CRUEL ET AVEUGLE...
...

DIS ...
N'ES-TU PAS D'ACCORD AVEC MOI...
...
SHIZUKU KANZAKI ? ♡

#15 Le fouet pour la lolita

HÉ... QUE VEUX-TU DIRE, SARAH ?
CE SONT JUSTE MES IMPRESSIONS SUR CE CHÂTEAU MOUTON ROTHSCHILD 2000.
POUR LE DIRE PLUS SIMPLEMENT, IL EST BIEN TROP TÔT POUR LE BOIRE.
MAIS... EUH... SARAH !
ET QUE CONNAÎT EN VIN UNE GAMINE D'Â PEINE VINGT ANS ?!
HEIN ?
VOUS N'AVEZ PAS COMPRIS, TSUKIYAMA ?
SI L'ON A CONSCIENCE DU POTENTIEL DE CE MERVEILLEUX MOUTON...
EN LE BUVANT MAINTENANT, ON DOIT SE RENDRE COMPTE DE L'ERREUR QUE L'ON A COMMISE ET AVOIR ENVIE D'EN PLEURER !
QUOI ?!
ALLONS!
CALMEZ-VOUS !
SARAH, EXCUSE-TOI ! D'ACCORD ?
M'EXCUSER ? DE QUOI ?

!
DONNEZ-LE-MOI !
AAAH !
COMMENT ?!

AH ! QU'EST-CE QUE TU...
AAAH !!

...

VOILÀ !
ESSAYONS ...
HUM... CE N'EST ENCORE QU'UN NIVEAU "MATER-NELLE"...
CE VIN NE VEUT RIEN SAVOIR...
DANS CE CAS...

SHAKE
SHAKE

HÉ, TOI !
SI TU L'AGITES AINSI, CE JOYAU VA ÊTRE FICHU !

SHIZUKU...
JE VENAIS ENFIN D'AVOIR CE TRANSFERT À LA PUB...
ÇA DEVRAIT ALLER.

OOH ?

VOILÀ...

DISONS QU'IL A ENCORE UN CÔTÉ "LOLITA"...
MAIS JE PENSE QU'IL A DE QUOI FAIRE BATTRE LES CŒURS.

ALORS, CHÈRE PRINCESSE CAPRICIEUSE ?

...

*NDT : qui provoque une crispation des muqueuses.

*NDT : environ 650 euros.

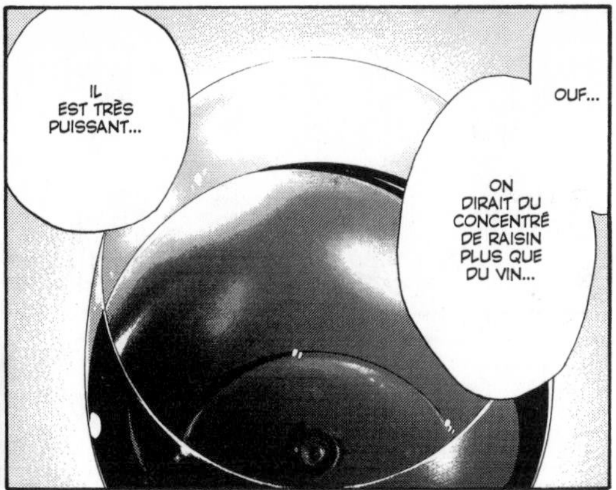
OUF...
ON DIRAIT DU CONCENTRÉ DE RAISIN PLUS QUE DU VIN...
IL EST TRÈS PUISSANT...

IL EST SOYEUX...
ET SON ARÔME SUCRÉ EST PERSISTANT...

LA LOLITA N'EST PAS MAL, FINALEMENT...
ON COMMENCE À POUVOIR LA BOIRE, À CET ÂGE.
...
C'ÉTAIT UNE MANIÈRE DE FAIRE UN PEU BRUTALE...
MAIS JE SUPPOSE QUE CE N'EST PAS MAL NON PLUS...

CAR QUAND CE MOUTON SERA ARRIVÉ À MATURITÉ...
JE SERAI UNE GRAND-MÈRE !
TU AS JUSTE 20 ANS, NON ?
DEPUIS QUAND BOIS-TU DU VIN ?

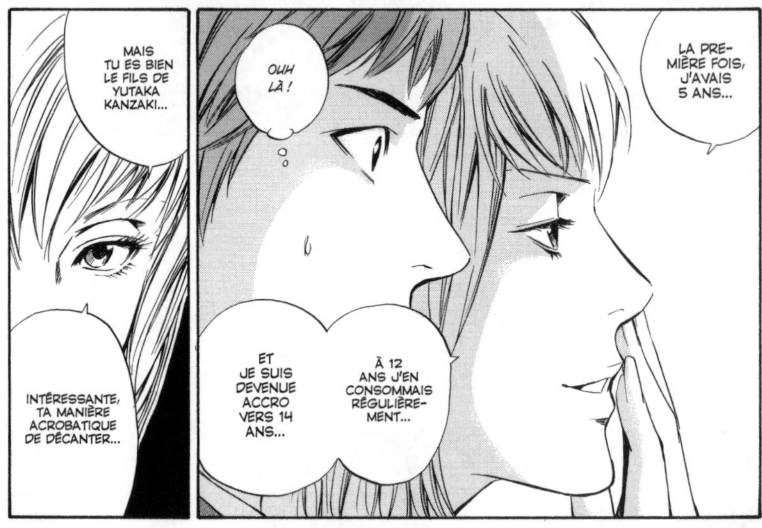
LA PREMIÈRE FOIS, J'AVAIS 5 ANS...
À 12 ANS J'EN CONSOMMAIS RÉGULIÈREMENT...
ET JE SUIS DEVENUE ACCRO VERS 14 ANS...
OUH LÀ !
MAIS TU ES BIEN LE FILS DE YUTAKA KANZAKI...
INTÉRESSANTE, TA MANIÈRE ACROBATIQUE DE DÉCANTER...

QUOIQUE, CELLE QUE TU AS EUE DE L'AGITER ÉTAIT ENCORE PLUS FRAPPANTE...
TU AS EU BEAU LE SECOUER, IL N'Y AVAIT PAS UNE BULLE...

OR DES BULLES DANS UN VIN SECOUÉ DÉTRUISENT SON GOÛT, MÊME CELUI D'UN PUISSANT BORDEAUX...
...
DIS...
ぎゅっ
CHOPE
QU'EST-CE QUE TU SAIS FAIRE D'AUTRE ?
DIS-MOI !
ATTENDS...
OH !
SHIZUKU ! GARDE PAS SARAH POUR TOI TOUT SEUL !
HÉ OH ! T'ES BOURRÉ !
HA HA HA !
SARAH, UN AUTOGRAPHE SUR MON DOS !
HA HA HA! À POIL!
TU FAIS HONTE À NOTRE SERVICE !
HEIN ?!
AH... ON VA VENIR ME CHERCHER, JE DOIS Y ALLER.
BIZARRE, CETTE FILLE...
MAIS...
EN SAVOIR AUTANT SUR LE VIN À SON ÂGE...
BON, SALUT TOUT LE MONDE !
AH ! ELLE SE TIRE !
SARAH !
COME BACK !
EST DE TOUTE MANIÈRE PEU BANAL...

COU-COU !
DÈS QUE J'AI EU LE MAIL DISANT QUE TU VENAIS ME CHERCHER...
JE ME SUIS ÉCHAPPÉE !

TU AS FINI TON REPAS ?

パターン
CLAC
JE N'AI PAS MANGÉ EN T'ATTENDANT.
J'AI JUSTE BU DU VIN.
OH... LEQUEL ?
UN MOUTON 2000.
IMPOSSIBLE.
ROBERT PARKER A JUGÉ, EN LE GOÛTANT EN 2002...
QUE C'ÉTAIT JUSTE UN ENFANT DE MÊME PAS DIX ANS.

AH OUI ?
POURTANT, "QUELQU'UN" L'A FAIT GRANDIR DE MANIÈRE UN PEU BRUTALE...
ET "IL" AVAIT UN SACRÉ CORPS...

...

ALLONS-Y. J'AI ENVIE DE BOIRE DU MOUTON ARRIVÉ À MATURITÉ.
UN 92, ALORS.

POUR LES BORDEAUX, CE N'EST PAS UN TRÈS BON MILLÉSIME...
MAIS LE MOUTON SERA FACILE À ABORDER...
DISONS...
COMME UNE COQUETTE BIEN RONDE DE 28 ANS ?

PFF ! EN EFFET...
APRÈS UN CERTAIN ÂGE, TOUT SE FANE...
ALORS AUTANT EN PRO-FITER À PLEINE MATU-RITÉ...
OH...
OBSÉDÉ ! ♡

WOW ! 20 ANS ?

SACRÉE FILLE...
ON DIRAIT UNE MADAME BIZE-LEROY DANS SA JEUNESSE !
QUI C'EST ?

AH, LÀ, LÀ... COMMENT TOI, QUI VAS ÊTRE UN ÉLÉMENT IMPORTANT DU DÉPARTEMENT VINS DES BIÈRES TAIYO...
PEUX-TU NE PAS LA CONNAÎTRE ?
C'ÉTAIT L'UNE DES DIRECTRICES DU DRC... UNE GÉNIALE VITICULTRICE DE BOURGOGNE.

ON LUI A PASSÉ DU VIN SUR LES LÈVRES À SON BAPTÊME...
ET IL PARAÎT QU'À 5 ANS ELLE JOUAIT À DÉGUSTER.
OOH !
ÇA EXISTE, DES GENS COMME ÇA ?
ON RACONTE AUSSI QUE LORS D'UNE DÉGUSTATION À L'AVEUGLE...
SUR DES DIZAINES DE BOUTEILLES, ELLE LES A TOUTES IDENTIFIÉES.
Y'EN A DES CHOSES, EN CE MONDE...
AU FAIT, QU'Y A-T-IL DANS CE CARTON QUE TU ME FAIS PORTER ?
AH PARDON...
DU VIN.
J'AI CHERCHÉ DES VINS À IMPORTER.
UN DÉPARTEMENT VINS DOIT D'ABORD DÉNICHER DES PRODUITS PEU CONNUS À CET EFFET, NON ?
PENSANT QU'IL FALLAIT SE DÉPÊCHER, J'EN AI APPORTÉ.
OOH...
C'EST BIEN DE TOI... JE VOIS POURQUOI LE PATRON DU "MONOPOLE" A PARLÉ DE TON ASSURANCE...
C'EST UN COMPLIMENT, ÇA ?!
BING

QUI ES-TU ?
MM ?

PA... PARDON...
TROP GROS !
JE M'APPELLE SHIZUKU KANZAKI, TOUT JUSTE TRANSFÉRÉ AU DÉPARTEMENT VINS...
GRR...
KANZAKI...

AH, OUI !
C'EST TOI !
SOURIRE

SHAKE
SHAKE
SHAKE
BUON-GIORNO !
SIGNOR KANZAKI !

VLAM
...
AAH !
ET QUI EST CETTE SIGNORINA ?

JE... JE SUIS EN CONTRAT TEMPORAIRE...
JE M'APPELLE MIYABI SHINOHARA.
MM... QUELLE...
...
SIGNORINA BELLISSIMA !

ぶっちゅーーっ
SMACK
MM... ♡
AAAAH !

...
IL EST DIFFICILE, ALORS FAIS ATTENTION !
EUH... TU ES...
SANS DOUTE HONMA ?

SI...
ZIM
スチャッ
CHOSUKE HONMA, TRANSFÉRÉ DEPUIS HIER DU SERVICE IMPORT ALIMENTAIRE...
PIACERE !

ENCHANTÉ...
JE SUIS SHIZUKU KANZAKI, TRANSFÉRÉ DEPUIS...
MES CARTES DE VISITE...
JE...
HÉ !
ALLONS !
SIGNORINA, PRENEZ LA PLACE À LA FENÊTRE, C'EST LA PLUS ENSOLEILLÉE...
UN ESPRESSO ?

JE RÊVE...
AH, SIGNOR !
HEIN ?
QU'Y A-T-IL DANS CE GRAND CARTON ?

OH !
TIRE TIRE
CE SONT DES ÉCHANTILLONS DE VIN À IMPORTER...
AH, DÉJÀ AU TAQUET !
QU'AS-TU CHOISI ?!
ALORS ? JE N'Y CONNAIS ENCORE RIEN EN VIN...
C'EST MIYABI QUI A EU LA GENTILLESSE DE LES CHOISIR...
...
CHO-SUKE ?
...

#15 Fin

QUOI ?! CE SONT...
HEIN ?

DES ÉCHANTILLONS POUR IMPORTATION, CES VINS DE MERDE ?!
OSER ME MONTRER CES COCHONNERIES...

#16 L'alien du département vins
UN PROBLÈME ?
SOURIRE
OH !

NO, NO, SIGNORINA...
RIEN QUI VOUS CONCERNE, NE VOUS EN FAITES PAS !

SHIZUKU...
C'EST TOI QUI L'AS INFLUENCÉE, N'EST-CE PAS ?
PARDON ?!

JE SAIS QUEL GENRE D'HOMME ÉTAIT TON PÈRE.

PEUT-ÊTRE ÉTAIT-IL UN CRITIQUE CÉLÈBRE...
MAIS SI TU VEUX MON AVIS, LES TYPES COMME LUI...
...

SONT DES PUTES...
QUI COUCHERAIENT AVEC N'IMPORTE QUI.
BON-JOUR !
J'AI RÉSERVÉ LA SALLE DE RÉUNION, ALLONS-Y !
OUI ...
CHEF !
SHI-ZUKU !
RESTE PAS PLANTÉ LÀ !
C'EST TOI QUI ES PLANTÉ DEVANT MOI...

ET DONC...

Départements Vins-
première conférence
DANS CES 20 VERRES À DÉGUSTATION SE TROUVENT...
20 CANDIDATS À L'IMPORTATION.
AFIN D'ÉVITER TOUT PRÉJUGÉ...
J'AI DÉCIDÉ DE PROCÉDER PAR UNE DÉGUSTATION À L'AVEUGLE.
NOTEZ SUR 10, SUR LA FEUILLE QUE J'AI DISTRIBUÉE.
EUH ...
PUIS-JE GOÛTER, MOI AUSSI ?
JE NE SUIS QU'UNE SECRÉTAIRE, MAIS...
OUI... VU QUE NOUS ALLONS VENDRE À DES GENS ORDINAIRES...
L'OPINION DU TROISIÈME ÂGE NOUS IMPORTE AUSSI.
HA HA HA !
OUAIS, L'OPINION DES VIEILLES COMPTE !
À L'OUEST
QUOI ...
...
A... ALORS ...
COMMENÇONS !

SLURP
AH !
PAS MAUVAIS, CELUI-LÀ !
IL EST BON !
LE N°3 EST BON AUSSI !
EUH, MME KAWAMATA...
SI VOUS BUVEZ TOUT, VOUS ALLEZ ÊTRE SAOULE !
CRACHEZ LÀ-DEDANS...
VOYEZ SIMPLEMENT LE BOUQUET ET L'ARÔME.
TOUT VA BIEN !
JE TIENS TRÈS BIEN L'ALCOOL !
EUH, C'EST PAS LA QUESTION...
ÇA NE VAUDRA RIEN...
J'EN SUIS QU'À L'APÉRO...
HA HA HA HA !
BIEN... J'Y VAIS...
...
À L'OUEST
ARGH...
CE DÉPARTEMENT VINS EST-IL BIEN PARTI ?
EMBAUMÉ
HUM... IL EST BIEN, CELUI-LÀ...
ON PEUT COMPTER SUR MIYABI...
POUR TROUVER LE MEILLEUR RAPPORT QUALITÉ/PRIX.

VOYONS SON GOÛT...
FLOC ! FLOC ! FLOC !
OH ?!
FLOC ! FLOC ! FLOC !

QU'EST-CE QUI TE PREND, CHOSUKE ?!
IL EST IMBUVABLE, JE LE JETTE.
MAIS TU NE L'AS MÊME PAS GOÛTÉ ?!
COMMENT PEUX-TU LE SAVOIR RIEN QU'À L'ODEUR ?

ON RECONNAÎT BIEN UNE MERDE...
RIEN QU'À L'ODEUR.
FLOC ! FLOC ! FLOC !

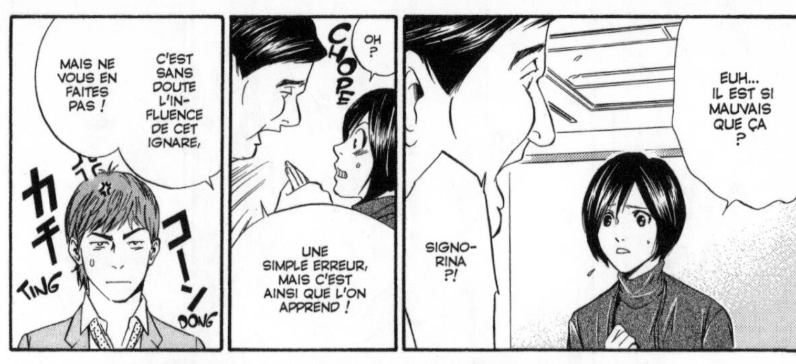
EUH... IL EST SI MAUVAIS QUE ÇA ?
SIGNORINA ?!
OH ?
CHOPE
UNE SIMPLE ERREUR, MAIS C'EST AINSI QUE L'ON APPREND !
C'EST SANS DOUTE L'INFLUENCE DE CET IGNARE,
MAIS NE VOUS EN FAITES PAS !
TING
DONG

JE VOUS GUIDERAI SUR LE DROIT CHEMIN !
...
FLOC ! FLOC ! FLOC !
GRRR !
Y M'ÉNERVE, LUI...

CHO-SUKE !
QU'EST-CE QUE C'EST QUE CETTE ATTITUDE ?!
MOI, JE LES AI GOÛTÉS, ET ILS SONT PLUTÔT BONS !
ILS N'ONT SANS DOUTE PAS LA PROFONDEUR ET LA COMPLEXITÉ DE VINS DE PRIX...
MAIS RIEN QUI MÉRITE DE LES JETER SANS LES BOIRE !
SI ÇA NE T'INTÉRESSE PAS, DÉGAG...
OOOOH !

FANTAS-
TICO !
HÉ ?
Pi
Pi
Pi
Pi
Pi
Pi

MM...
LE 20 EST ÉGALEMENT FABULEUX !
キューッ TING
OUH LÀ...
...

TOURNE
OH !
DAM
DAM
DAM
DAM
CHOPE

SMACK
GRAZIE...
SIGNORINA MIYABI !
AAAH !
GRÂCE AUX FABULEUX NUMÉROS 16 ET 20 CHOISIS PAR VOS SOINS...
LA JOIE M'A ENVAHI !

PAF

PRENDS EXEMPLE SUR ELLE...
ET APPRENDS !
BON, J'Y VAIS !
ARRIVEDERCI !
MAIS IL EST FOU, CE TYPE...
EUH, CHOSUKE, LA CONFÉRENCE N'EST PAS TERMINÉE...

LE 16 ET LE 20 ?
JE LES AI BUS...
ET JE NE LES TROUVE PAS SI SUPÉRIEURS AUX AUTRES !
C'EST PLUTÔT TOI QUI N'Y CONNAIS RIEN ET RACONTE N'IMPORTE QUOI ! ALORS, DISPARAIS !
SHI... SHIZUKU !
ALLONS, CALME-TOI...
SOIS MAGNANIME !
LAISSEZ-MOI, CHEF !
TANT QUE JE NE LUI EN AURAI PAS MIS UNE, JE NE ME CALMERAI PAS !

SHIZUKU !
GRR GRR
QUOI ?!
REGARDE SA LISTE !

LE CON !
IL A MIS ZÉRO À TOUS SAUF AU 16 ET AU 20 !
CE N'EST PAS ÇA...
MOI NON PLUS, JE NE PENSE PAS QU'IL Y AIT UNE GRANDE DIFFÉRENCE...
MAIS REGARDE CETTE LISTE-LÀ.
C'EST LAQUELLE ?
IL Y A LE NOM, LE MILLÉSIME...
ET LA RÉGION DE PRODUCTION DES 20 BOUTEILLES.

CEUX QUE CHOSUKE A CHOISIS SONT...
LES SEULS VINS ITALIENS !
5 F
16 I
17 F
18 F
19 F
20 I
QUOI ?!

IL A BIEN JETÉ LES VINS APRÈS LES AVOIR SENTIS, SANS LES BOIRE ?
EUH... OUI.
SANS DOUTE PEUT-IL DIFFÉRENCIER, RIEN QU'À L'ODEUR, LES VINS ITALIENS DES AUTRES...
ET A-T-IL DÉCIDÉ DE NE PAS BOIRE CES DERNIERS...
COMMENT ?!

SI C'EST VRAI, C'EST VRAIMENT INCROYABLE...
CAR JE PENSE QUE MÊME TOI, QUI AS UN ODORAT EXTRAORDINAIRE...
TU NE POURRAIS PAS DONNER AINSI LA NATIONALITÉ D'UN VIN QUE TU N'AS JAMAIS BU, NON ?
EUH... BEN, EN EFFET...

CELA VEUT DIRE QUE CET HOMME...
A BU UN NOMBRE INIMAGINABLE DE VINS DU MONDE ENTIER !

MAIS...
GLOUPS
ゴクッ
C'EST QUI, ENFIN...

O SOLE
MIOOOO
OH NON !
SURTOUT, NE LE REGARDE PAS !
CETTE ESPÈCE D'ALIEN ?
...

HI HI HI !
EH BIEN, SARAH ?

C'ÉTAIT INTÉRESSANT, HIER SOIR...
JE COMPRENDS POURQUOI IL T'INQUIÈTE...
EN APPARENCE, VOUS ÊTES BIEN DIFFÉRENTS...
...
MAIS AU FOND, VOUS VOUS RESSEMBLEZ.

MOI ET...
QUE VEUX-TU DIRE ?
ÇA TE PLAÎT PAS ?

VRAIMENT PAS, NON.
J'AI L'IMPRESSION QUE SON PÈRE L'A ÉDUQUÉ...
VU SA MANIÈRE DE VERSER...
CE N'EST QUE DE LA POUDRE AUX YEUX !
POC
OH ?
POURTANT, IL N'EST PAS KANZAKI JUNIOR POUR RIEN.
NATURELLEMENT, SA COMPRÉHENSION DU VIN FAIT ILLUSION,
MAIS SES FAILLES SONT TOUT DE SUITE VISIBLES.
...
COMME CE MOUTON 92 QUE NOUS AVONS BU HIER.

AU BOUT DE 3 HEURES, IL A RÉVÉLÉ SON VRAI VISAGE, CELUI D'UN MILLÉSIME ORDINAIRE.
T'ES SÉVÈRE !
QUOI QUE TU DISES...
BIEN QUE CE MOUTON AIT PERDU UN PEU DE SON ÉCLAT, JE L'AI APPRÉCIÉ JUSQU'AU BOUT.

VENIR D'UNE BONNE FAMILLE EST IMPORTANT POUR L'INNÉ COMME POUR L'ACQUIS, À MON AVIS...
...
SOMMELIER !
OUI ?
UN CHÂTEAU LAGRANGE 96, JE VOUS PRIE.
TOUT DE SUITE, MONSIEUR.
UN CHÂTEAU LAGRANGE ?

ÇA NE TE PLAÎT PAS ?

J'AI DÉJÀ BU DU LAGRANGE 82...
GRR...
ムスッ
ET MALGRÉ SON BON MILLÉSIME, IL N'ÉTAIT PAS TERRIBLE.

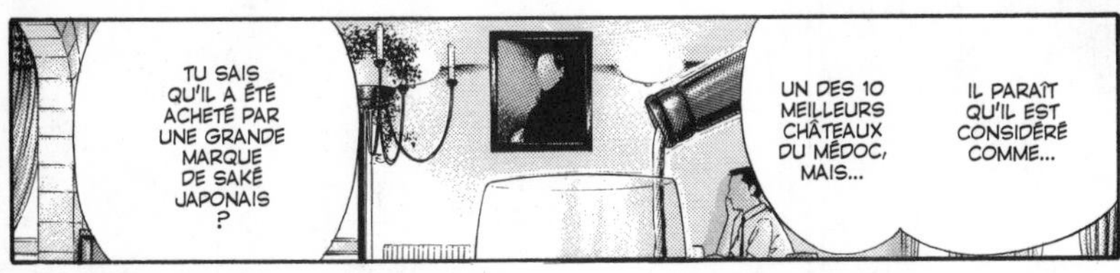
IL PARAÎT QU'IL EST CONSIDÉRÉ COMME...
UN DES 10 MEILLEURS CHÂTEAUX DU MÉDOC, MAIS...
TU SAIS QU'IL A ÉTÉ ACHETÉ PAR UNE GRANDE MARQUE DE SAKÉ JAPONAIS ?

JE SAIS. MAIS LA VINICULTURE EST UN MONDE DE TRADITIONS,
ALORS LES JAPONAIS AURONT BEAU FAIRE DE LEUR MIEUX...
C'EST L'HOMME QUI FAIT LE VIN.
ET GRÂCE AUX MAINS DE JEUNES GENS DOUÉS, QUE L'EFFORT N'A PAS REBUTÉ...
...
LE LAGRANGE A ACQUIS UN NOUVEAU CHARME, EN DÉPASSANT LES TECHNIQUES TRADITIONNELLES.

QU'IL EST BON ! ♡
CRÈME DE CASSIS... HERBES...
ÉQUILIBRÉ ET STYLÉ À LA FOIS !
ET...

PAIN GRILLÉ...
YOUPI ! ♡ YOUPI ! ♡
IL ATTISE L'APPÉTIT...
PARFAIT POUR UN DÉJEUNER, NON ?
C'EST VRAI ! TU AS BIEN CHOISI ! ♡
JE SUIS CONTENTE !
CE VIN NE VA PAS S'AFFADIR...
CONTRAIREMENT AU MAUVAIS MILLÉSIME DE MOUTON D'HIER SOIR.

LE TEMPS EST VENU POUR UNE GÉNÉRATION JEUNE ET AMBITIEUSE DE FAIRE SAUTER LES VERROUS...
1996
CHATEAU LAGRANGE
SAINT-JULIEN
SAINT-JULIEN CONTROLÉE
DANS LE MONDE DU VIN, AUSSI !

DES GENS COMME LE PETIT PRINCE DU VIN, ISSEI TOMINE ?
...

ALORS, JE TRINQUE AUX GOUTTES DE DIEU...
ET À TOI, MON CHER GRAND FRÈRE ! ♡
#16 Fin

#17 Merry-go-round

JE NE VOIS PAS...
POC
J'AI BEAU Y RÉFLÉCHIR, JE NE VOIS PAS DE GRANDE DIFFÉRENCE.
CES DEUX VINS ITALIENS ONT UN CORPS PUISSANT ET CORSÉ, EN COMPARAISON DES FRANÇAIS, MAIS IL EST IMPENSABLE...
DE JETER CES DERNIERS ET LEUR ÉQUILIBRE SE RÉVÈLE SI DÉLICAT QU'IL EN EST INDESCRIPTIBLE...

IL DOIT Y AVOIR UNE RAISON...
POUR QUE CHOSUKE LES DÉTESTE À CE POINT.
QUESTION DE GOÛT, NON ?
CHOSUKE A L'AIR PLONGÉ DANS UN TRIP ITALIEN...
MAIS IL NE CONNAÎT PAS SEULEMENT LES VINS D'ITALIE, HEIN ?
NON...
POUR POUVOIR, RIEN QU'À L'ODEUR, IMMÉDIATEMENT LES DIFFÉRENCIER DES AUTRES...
IL FAUT QU'IL AIT BU DES VINS DE TOUTES PROVENANCES.

OUI... TOUT COMME MOI QUI AI ÉTÉ TRANSFÉRÉ ICI PARCE QUE JE SUIS LE FILS DE YUTAKA KANZAKI...
IL Y A SÛREMENT UNE RAISON À SA MUTATION.

ET QU'EN EST-IL POUR KAWARAGE ET KAWAMATA ?
REGARDE ...
FRR
FRR

TU NE PENSES PAS QUE LEURS POINTS SONT PLUTÔT BIEN DISTRIBUÉS ?

KAWAMATA EST UN PEU EXTRÊME, MAIS ELLE A BIEN SÉPARÉ CEUX QU'ELLE TROUVE BON DES AUTRES...
J'AI L'IMPRESSION QUE CES CHIFFRES TRADUISENT LE SENTIMENT D'UN CONSOMMATEUR LAMBDA.
ET REGARDE LE CHEF, KAWARAGE...
TU NE TROUVES PAS SA MANIÈRE DE NOTER BIEN COMPLIQUÉE ?
À L'OUEST
HEIN ?
LUI ?
C'EST VRAI...
SON JUGEMENT S'APPROCHE ASSEZ DE MES PROPRES IMPRESSIONS.
OH ?
MAIS IL A UTILISÉ...
HUM ? TU COMPRENDS CE "4-5", TOI ?
OUI.
IL VEUT DIRE QU'IL LUI DONNE 4 POINTS MAINTENANT, MAIS QUE LORSQU'IL ATTEINDRA SA MATURITÉ...
CE VIN MÉRITERA UN 5.
ET CE "6+", ALORS ?
SON POTENTIEL DE CONSERVATION...
IL PRÉVOIT QU'IL VAUDRA PLUS DE 6...
C'EST UN TERME QUE LES CRITIQUES, À COMMENCER PAR ROBERT PARKER, AIMENT BIEN.
AH... AH BON, C'EST ÇA QUE ÇA VEUT DIRE...
JE SAVAIS PAS.
IL N'A RIEN DIT ET AVAIT L'AIR AILLEURS...
MAIS SI ÇA SE TROUVE, C'EST UN FOU DE VIN...

OUI...
GRAB

SI C'EST VRAI, ALORS LA COMPAGNIE SAIT BIEN CHOISIR SES EMPLOYÉS.
ON DIRAIT QUE TU TE PRENDS AU JEU.

SI ÇA SE TROUVE, ÇA VA ÊTRE QUELQUE CHOSE...
CE DÉPARTE-MENT VINS.
OUI.
LES GOUTTES DE DIEU ET LES APÔTRES ME TIENNENT À CŒUR, MAIS...
IL FAUT COMMENCER PAR METTRE CETTE BOÎTE SUR LE BON CHEMIN...

OUAIS, ET POUR ÇA, VA FALLOIR RÉGLER LE PROBLÈME DU RITAL.
HUMPF
PFF !
QUE TU DIS...

TOUT IRA BIEN ...
SI TU LUI PARLES, IL COMPRENDRA...
...
APRÈS TOUT, IL AIME LE VIN, C'EST INDÉNIABLE.
C'EST VRAI...

À UN AVENIR RADIEUX POUR LE DÉPARTEMENT VINS DES BIÈRES TAIYO !
SANTÉ !

PAR CONSÉQUENT, LE DÉPARTEMENT VINS DES BIÈRES TAIYO...
VOILÀ !
NE FERA QUE DES VINS ITALIENS !
...
...
CHOC

UNE PETITE MINUTE, CHOSUKE !
TU AS UN PROBLÈME...
SHIZUKU ?
C'EST DE LA FOLIE, ALORS QU'ON COMMENCE JUSTE, DE LAISSER DE CÔTÉ LES VINS CHILIENS OU AMÉRICAINS, ET ENCORE PLUS LES FRANÇAIS, CEUX DU PAYS DU VIN...
POUR SE LIMITER AUX ITALIENS !
ピクッ
GRR...
LA FRANCE, PAYS DU VIN ?

ズカズカ
GNN...
BEN ...
C'EST ÇA, HEIN ?
PARCE QUE...

STRONTO !

EN ITALIE...
LA CULTURE DU VIN DATE DE L'ÉPOQUE ROMAINE, BIEN AVANT LA FRANCE !
ÇA ME FAIT MAL QU'UN EMPLOYÉ DE CE DÉPARTEMENT L'IGNORE !
ÊTRE LE MARCHÉ PRINCIPAL N'A RIEN À VOIR AVEC L'HISTOIRE !

C'EST VRAI QUE ÇA NE FAIT PAS LONGTEMPS QUE JE M'INTÉRESSE AU VIN...
MAIS MÊME MOI, JE SAIS QUE LA FRANCE EST LE PREMIER EXPORTATEUR DE VIN AU MONDE !
SURTOUT ICI, AU JAPON, OÙ POUR LA PLUPART DES GENS LE MOT "VIN" ÉVOQUE LA FRANCE !

ET, ALORS QU'ON MET CE DÉPARTEMENT SUR PIED, SE LIMITER À LA PRODUCTION ITALIENNE, PLUS MARGINALE, EST UNE MAUVAISE IDÉE !
MA... MARGINALE ?!

HEIN ?!
TU VEUX QUE JE TE CASSE TA SALE GUEULE ?!
CONNARD !
!
HISSE
J'EN AI MARRE DE TOI !
CHOSUKE LE RITAL !

PLANE
ARRÊTEZ, TOUS LES DEUX !
A... ATTEN-DEZ !
RESTEZ COUR-TOIS !
OK ?

LA FEEERME !

EUH...
Y'EN A MARRE ...
DE CES DÉFERLEMENTS D'HORMONES MÂLES !
PFF !
NOUS PARLIONS DE VIN, JE CROIS ?

ALORS SI ON S'EN SERVAIT POUR DÉCIDER ?
OH, BONNE IDÉE...

QU'EN PENSEZ-VOUS ?
UN MATCH ITALIE-FRANCE...
EN CLAIR, GOÛTONS LES DEUX ET DÉCIDONS...
D'ACCORD ?

JE DOUTE QUE NOTRE RITAL JOUE SELON LES RÈGLES...
IL METTRA 0 AUX FRANÇAIS SANS LES BOIRE.
NORMAL, JE SAIS DÉJÀ QU'ILS SONT MAUVAIS !
GROUIK
C'EST PLUTÔT TOI, AVEC TON PALAIS VIOLÉ PAR CES VINS FRANÇAIS IMBUS D'EUX-MÊMES...
QUI NE POURRAS PAS COMPRENDRE LES MYSTÈRES DU VIN ITALIEN !

ZY VA !
CONNARD !
B... BON...
ET SI ON DEMANDAIT AUX EMPLOYÉS, ALORS ?

COMMENT ?
ORGANISONS UNE DÉGUSTATION À L'AVEUGLE DANS LE HALL DU SIÈGE À L'HEURE DE LA SORTIE DES BUREAUX...
ET VOYONS CE QU'IL EN RESSORT.
DITES ?
CE SERAIT ÉQUITABLE, NON ?

EN EFFET, CE...
SIGNO-RINA... ♡
UNE FOIS DE PLUS, VOILÀ UNE MERVEILLEUSE IDÉE !
MMM... ♥
AAAAH !

HÉ, SHIZUKU !
TU N'AS RIEN À REDIRE, PAS VRAI ?
LA DIFFÉRENCE APPARAÎTRA DE MANIÈRE ÉCLATANTE !

LE VIN DE CES FRANÇAIS VANTARDS ET TÊTUS...
PI PI PI
NE POURRA JAMAIS VAINCRE CELUI DES ITALIENS TRAVAILLEURS ET CHALEUREUX COMME LE SOLEIL !
HA HA HA HA !
OOO
C'EST PAS LE CARACTÈRE QUI FAIT LE VIN...
UNE SUGGES-TION... EUH...
OUI, CHEF ?

*NDT : respectivement, environ 6,50 euros, 13 euros et 19,50 euros

*NDT : environ 6,50 euros

HÉ, SHI-ZUKU...
JE TE DONNE UNE SEMAINE !
CHERCHE BIEN...
ET AINSI, QUE TU LE VEUILLES OU NON, TU DÉCOUVRIRAS...
LA VRAIE NATURE DE TES PRÉTENTIEUX VINS FRANÇAIS !

O SOLE MIOOOOO
LA CONFÉRENCE N'EST PAS FINIE, NON PLUS...
HOU-HOU...
...

*NDT : environ 13 euros **NDT : environ 6,50 euros

ZIM
ESSAYEZ DONC CELUI-CI, TOUS LES DEUX.
OH !
ENCORE VOTRE TOURNÉE ?
NON, CETTE FOIS, IL FAUDRA PAYER.
ÇA DOIT ÊTRE CHER...
MAIS JE TE LE FAIS AU PRIX COÛTANT.
BON, ALORS JE RENTRE.
CRISS

BOIS, JE TE DIS !
NAN ! JE BOIS QUE SI C'EST OFFERT !
J'SUIS RÉMI SANS FAMILLE, MOI !
OH !
IL EST DÉLICIEUX !

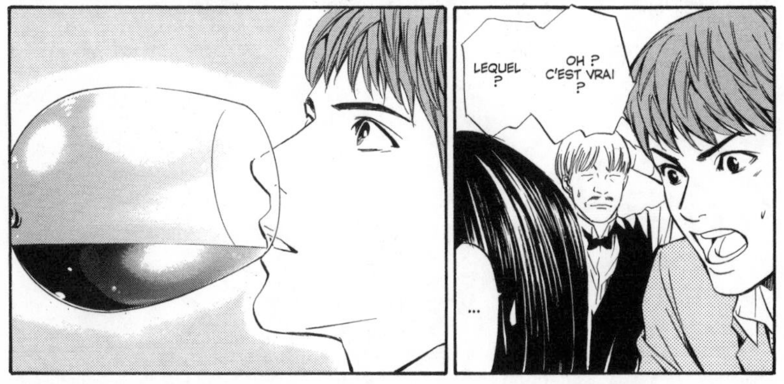
OH ? C'EST VRAI ?
LEQUEL ?
...

...
QU'AS-TU ÉPROUVÉ ...
SHIZUKU ?
...
UN CAR-ROUSEL...

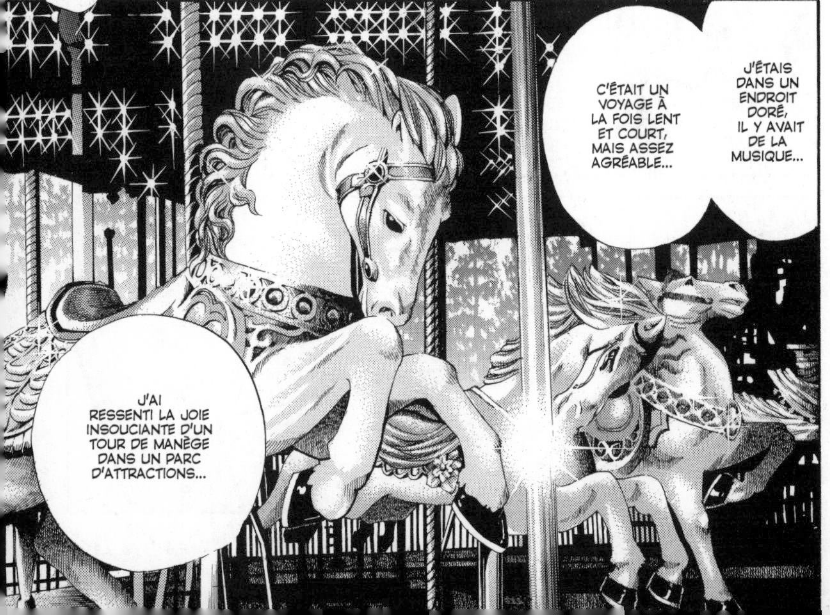
J'ÉTAIS DANS UN ENDROIT DORÉ, IL Y AVAIT DE LA MUSIQUE...
C'ÉTAIT UN VOYAGE À LA FOIS LENT ET COURT, MAIS ASSEZ AGRÉABLE...
J'AI RESSENTI LA JOIE INSOUCIANTE D'UN TOUR DE MANÈGE DANS UN PARC D'ATTRACTIONS...

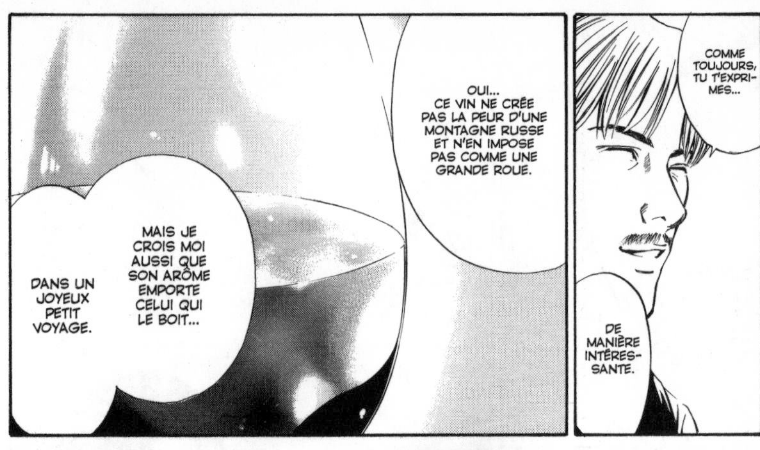

*NDT : environ 11,50 euros

NDT : environ 19,50 euros

MAIS GRÂCE À VOUS, J'AI BON ESPOIR !

SI JE CHERCHE BIEN, JE TROUVERAI...
UN VIN FRANÇAIS QUI SERA FACILE À SE PROCURER ET POURRA RÉJOUIR CEUX QUI LE BOIVENT.
J'EN SUIS SÛR !

#17 Fin

#18 Une nuit "fantastico"

C'EST VRAI QU'ILS ONT L'AIR UN PEU PLUS CHERS QUE CEUX DES AUTRES PAYS...
MAIS S'ILS SE VENDENT MALGRÉ CELA, C'EST QU'ILS ONT QUELQUE CHOSE.
...
CE QUELQUE CHOSE...

SI ON TROUVAIT CE QUE C'EST...
ON GAGNERAIT CE DUEL.
OUI...

ET PUIS JE NE VEUX PAS PERDRE...
CONTRE LE DINGUE DE L'ITALIE.
TU VOIS...
JE COMPRENDS, MAIS...

BONSOIR, MA CHÈRE LADY...
AH, D'OÙ TE VIENT UNE TELLE DISTINCTION ?
...

ET TOI, TENUTA...
COMMENT FAIS-TU POUR ARBORER TOUJOURS CE SOURIRE RADIEUX ?
...
本間
MAIS CE SOIR, CE SERA PALEO...
J'AI BESOIN DE TA PASSION...
J'ESPÈRE QUE VOUS COMPRENEZ...

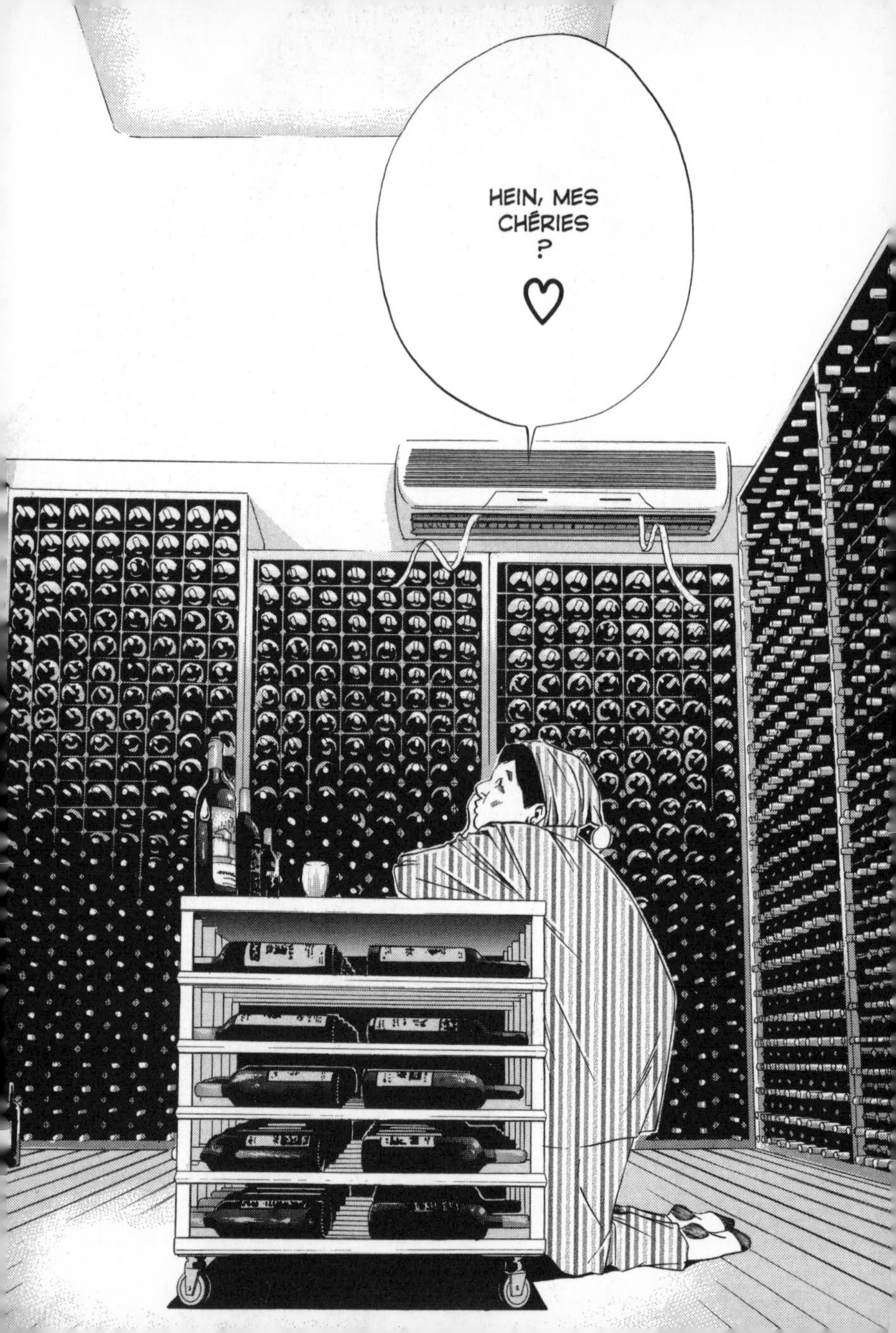
HEIN, MES CHÉRIES ? ♡

Tenuta Tenuta di Trinoro 1999

Un mélange où domine le cabernet franc, produit par le génie de la Toscane, Andrea Franchetti.

Lady Redigaffi 2000

100 % merlot.
Un vin primeur produit à 4300 bouteilles par an.
Robert Parker a donné 100 points à ce millésime 2000.

Paleo Paleo Rosso 2000

Vin très personnalisé produit par le domaine du Macchiole, dont le mélange change selon les années. L'un des plus grands vins italiens valant autour de 10 000 yens*.

*NDT : environ 65 euros

HUM...
LA PETITE DE CETTE ANNÉE EST DONC UN MÉLANGE AVEC 70 % DE CABERNET SAUVIGNON ET 30% DE CABERNET FRANC...
QUELLE MERVEILLE, DÉCIDÉMENT... LA PUISSANTE CONCENTRATION DE MÛRES ET LES INNOMBRABLES HERBES... PUIS CETTE INCOMPARABLE NOTE FINALE CRÉMEUSE...
UN CORPS AUSSI PARFAITEMENT ÉQUILIBRÉ QU'UN TOP MODEL...
AVEC L'ABORD AIMABLE D'UNE JEUNE FEMME JAPONAISE !
CAHIER DE NOTATION
POINTS
ゴー
ATCHOUM !
16° C ...
LA TEMPÉRATURE PARFAITE POUR ELLES, MAIS UN PEU FROID POUR MOI...
16°C
BON, AU LIT !

J'INJECTE DU NITROGÈNE ET JE POMPE L'AIR QUI EST À L'INTÉRIEUR...
POMPE POMPE
ET AINSI, DEMAIN OU APRÈS-DEMAIN, ON POURRA SE RETROUVER COMME AU PREMIER JOUR.
POMPE POMPE
PSCHITT

BON ...
BUONA NOCTE...
MES CHÉRIES ! ♡
VLAN

WINE
Wine
Wine

AH, J'AI BIEN BU...
CHAQUE FOIS QUE JE VAIS CHEZ FUJIEDA, JE FINIS À MOITIÉ SAOUL...

CLING!
MM ?

C'ÉTAIT QUOI ?
DES BRIS DE VERRE ?

IL FAIT QUOI, LUI ?

M... MAIS C'EST DU VIN ?!

...
MERDE !

TU VAS VOIR !

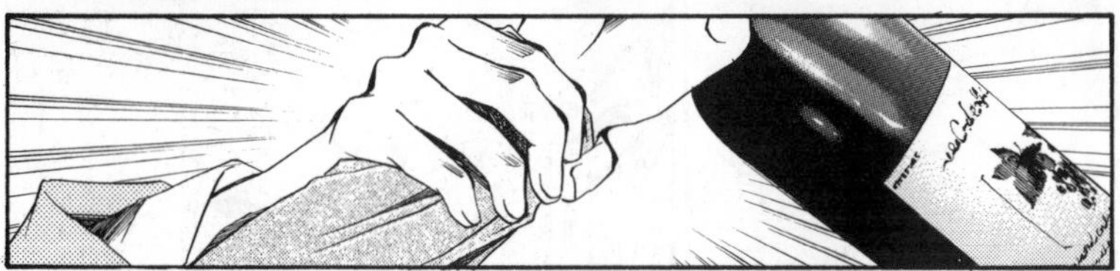

MAIS QU'EST-CE QUE VOUS FICHEZ ?!

LAISSEZ-MOI !
JE VEUX TOUT CASSER !

COMMENT ÇA ? MAIS C'EST DU VIN !
SI VOUS CASSEZ TOUT CE QU'IL Y A DANS LA VOITURE, ÇA VOUS COÛTERA UNE FORTUNE !

LA FERME !
C'EST DE LES AVOIR QUI ME LA COÛTE, CETTE FORTUNE !
...
...

BEN... VOUS AVEZ SANS DOUTE VOS RAISONS, MAIS...
JE NE POUVAIS PAS LAISSER FAIRE.
CE...
N'EST QUE TRÈS RÉCENT, MAIS JE TRAVAILLE DANS LE VIN.
HEIN ?
ET PUIS, QUOI QU'IL ARRIVE, CE NE PEUT ÊTRE LA FAUTE DU VIN, NON ?

PFF...
ET SI, POURTANT.

COMMENT ?

PAR SA FAUTE, MON RESTAURANT ÉTABLI DEPUIS 20 ANS...
SE RETROUVE AU BORD DE LA FAILLITE !

OH !
C'EST SIMPLE, MAIS SYMPA !
"MA FAMILLE" EST ASSEZ CONNUE POUR SA CUISINE DU SUD DE LA FRANCE.
AUTREFOIS, IL FALLAIT TOUJOURS RÉSERVER...

PEU DE CLIENTS SONT RESTÉS, SAUF...
QUELQUES AMIS D'ENFANCE QUI PASSENT DE TEMPS EN TEMPS.
MAIS JE NE PEUX PLUS PAYER LE NETTOYAGE, JE N'AI DONC PAS LE CHOIX.
C'EST LE SIGNE DE LA DÉCHÉANCE DE MON RESTAURANT FRANÇAIS...
CE PLASTI-QUE...
...

AUTREFOIS, IL ÉTAIT FLORISSANT... ALORS POURQUOI ?
ÇA S'EST PASSÉ L'ANNÉE DERNIÈRE, À CETTE ÉPOQUE.
UN HOMME A RÉSERVÉ PAR TÉLÉPHONE.
UN LUNDI SOIR, VERS 17 HEURES, ET EN PLUS POUR UN HOMME SEUL... JE ME SUIS DIT QUE CE CLIENT DEVAIT ÊTRE UN ORIGINAL, MAIS...
C'EST CE QUI A TOUT DÉCLENCHÉ.
IL N'Y AVAIT ENCORE AUCUN AUTRE CLIENT CE JOUR-LÀ...
FRANCE
COMME C'ÉTAIT LE PREMIER ET QU'IL AVAIT L'AIR SPÉCIAL, JE SUIS MOI-MÊME ALLÉ PRENDRE SA COMMANDE...
SI VOUS SOUHAITEZ UN MENU, JE VOUS RECOMMANDE LE A, NOUS EN SOMMES TRÈS FIERS...

BIEN, JE PRENDRAI CELUI-CI…
APPORTEZ-MOI UN VERRE DE BLANC POUR COMMENCER, PUIS UN VERRE DE ROUGE S'ACCORDANT AU PLAT PRINCIPAL.
BIEN, MONSIEUR.
CE JOUR-LÀ, LE HORS D'ŒUVRE DU MENU A ÉTAIT UNE MOUSSE D'OURSIN…
AVEC UNE SAUCE AU BEURRE DE HOMARD, AVEC LAQUELLE JE LUI AI SERVI LE VERRE DE BLANC.
SNIFF
POC
…
EH BIEN ? IL NE TOUCHE PAS AU VERRE QU'IL A COMMANDÉ ?
FRANCE

NDT : côte nord de l'île de Honshu. Le Nord du Japon est très réputé pour ses fruits de mer.

NON…
EXCUSEZ-MOI…
MAIS CE DESSERT EST SI SUCRÉ…
QU'IL VAUT MIEUX LE MANGER SEUL, C'EST POURQUOI JE N'EN AI PAS PRÉPARÉ.
AH BON ?
LE CLIENT A FINI SON REPAS SANS MOT DIRE…
IL A PAYÉ ET EST PARTI.
ET À PEU PRÈS UN MOIS PLUS TARD…
QUELLE HORREUR, PATRON !
CET ARTICLE…
Gourmet Magazine
La Table Royale
LA TABLE ROYALE ?
VOUS NE CONNAISSEZ PAS ?
CE MAGAZINE, QUI SE VEND TRÈS BIEN CES DERNIERS TEMPS…
FAIT UNE SÉRIE D'ARTICLES QUI A TANT D'INFLUENCE QUE LES RESTAURANTS QU'IL RÉCOMPENSE CONNAISSENT UN BOOM, ALORS QUE LES AUTRES PEUVENT METTRE LA CLEF SOUS LA PORTE.
OOH…
ET ILS PARLENT DE NOUS ?
OÙ ÇA ?

...
Bien que je ne puisse me plaindre de la cuisine...
le choix des vins laisse fortement à désirer.
On ne peut que dire que cela montre la profondeur de l'ignorance du chef pour la cuisine française.
Lors de ma première visite dans un restaurant, je commande toujours non une bouteille, mais un verre...
Il est très rare en effet que ces derniers commandent...
une bouteille de rouge, une de blanc et un vin de dessert.
afin d'avoir le même point de vue que des clients ordinaires.
C'est ainsi que le choix du vin au verre est très important pour juger un restaurant.

De plus, je ne peux concevoir la cuisine française sans vin.
Si jamais le propriétaire de "Ma famille" lit cet article, je lui conseille vivement de reprendre l'œnologie à zéro.
La Table Royale

DEPUIS CE JOUR, LA FRÉQUENTATION A CHUTÉ DRASTIQUEMENT...
ALORS QUE J'AVAIS DES DETTES CAR JE VENAIS DE FAIRE FAIRE DES TRAVAUX.
VU LA BAISSE DES RECETTES, JE N'AVAIS D'AUTRE CHOIX QUE DE ROGNER SUR LA QUALITÉ DES INGRÉDIENTS...
ET AUCUN AUTRE CRITIQUE N'EST VENU...
CE QUI M'A VALU L'ÉTIQUETTE DÉFINITIVE DE SECONDE CLASSE...

BAH... C'EST DEVENU LA VÉRITÉ...
MON RESTAURANT EST TOMBÉ BIEN BAS.
VOUS AVEZ TOUJOURS CET ARTICLE ?

TOKYO WINE
AH, VOUS VOULEZ LE VOIR ?
JE N'AI PAS PU LE JETER...
À FORCE DE LE REGARDER, J'ESPÉRAIS TROUVER CE QUI CLOCHE...

J'AI REÇU UN COUP DE TÉLÉPHONE...
DANS 5 JOURS, LE MÊME CLIENT A RÉSERVÉ POUR 17 HEURES.
JE VOULAIS DONC ME DÉBARRASSER DE TOUT MON VIN AVANT CELA...
ET LUI DIRE QUE J'ÉTAIS EN RUPTURE DE STOCK.

LAISSEZ-MOI VOUS AIDER.
QUOI ?

Les gouttes de Dieu Vol. 2 – Fin

7 - Les meilleurs producteurs de bourgogne (1)

En Bourgogne, les appellations village sont divisées entre de nombreux domaines (propriétaires producteurs) et le vin d'un même vignoble révèle des arômes distincts, dus à la différence de fabrication. En résumé, afin de choisir un bourgogne, il faut connaître les meilleurs producteurs, ceux qui emploient les meilleures techniques de vinification. C'est pourquoi les auteurs des *Gouttes de Dieu* vont maintenant vous présenter ceux qu'ils considèrent comme les meilleurs domaines de production de vins bourguignons, répartis entre les six principaux villages.

Le village de Gevrey-Chambertin
Ce vin très dense garde son arôme puissant très longtemps. L'appellation "village Gevrey-Chambertin" désignant une superficie de vignoble très importante, la qualité de ses vins varie du tout au tout. Le grand cru le plus emblématique, le Chambertin, était très apprécié de l'empereur Napoléon et c'est pourquoi il a hérité du surnom de "vin du roi".

Les producteurs que nous recommandons

★ **Armand Rousseau.** Le plus grand domaine, qui est un peu la "vitrine" de l'appellation. Avec 80 % des vignobles dédiés à la production de grands crus et premiers crus, c'est l'un des producteurs les plus chers de la région. Cependant, sa production AOC village peut s'acquérir pour environ 4000 yens la bouteille (soit près de 26 euros). Ce prix, un peu élevé, est justifié pour le produit d'un vignoble de cette classe.

★ **Claude Dugat**
Ce domaine produit des vins au parfum sucré et à l'arôme fruité. C'est l'un des prétendants à la succession d'Henri Jayer. Ses vins sont donc chers. Un village se vendra autour de 8000 yens (52 euros) et un bourgogne rouge ordinaire à au moins 3000 yens (19,50 euros).
Ils sont très recherchés et il est donc très difficile de s'en procurer.

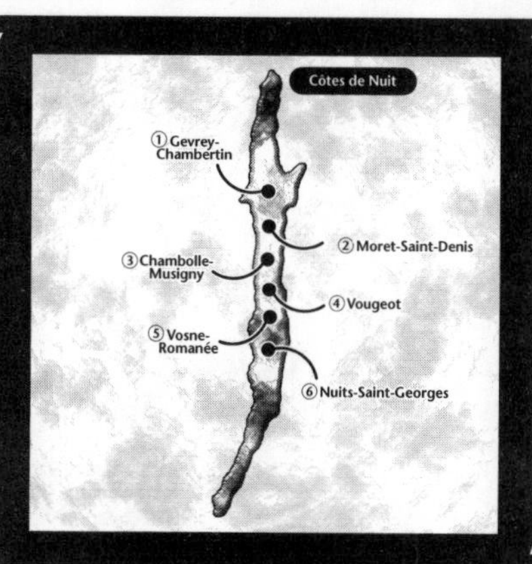

★ **Bernard Dugat-Py**
C'est l'un des jeunes noms prometteurs dans le monde du vin de Bourgogne.
Ses vins sont très concentrés, parfumés et ont besoin de temps pour arriver à maturité. Toutefois, leur faible production les rend chers. Plutôt qu'un village, choisissez un vin régional qui se trouve à environ 4000 yens (26 euros).

★ **Denis Mortet.** L'un des grands noms de la région. Produits de manière organique, les vins de Denis sont doux comme de la soie, avec un arôme riche et sucré de fruits rouges. Un vin communal peut s'acheter pour environ 2000 yens (13 euros).

★ **Henri Perrot-Minot.** Il a choisi de limiter la quantité de ses récoltes afin de produire un vin très concentré. Le célèbre critique de vins, Robert Parker Jr., l'a félicité en qualifiant ce dernier de première classe. Les appellations village se trouvent à 3000 yens (19,50 euros) et valent des premiers crus.

★ **Philippe Pacalet.** Il est célèbre pour avoir refusé une offre du P.-D.G. de la DRC, car il souhaitait faire son propre vin. Privilégiant une vinification naturelle, il obtient des vins délicats et élégants. Ils sont également chers, un village coûtant entre 6000 et 7000 yens (entre 39 et 45,50 euros).

★ **Domaine Fourrier.** L'actuel maître du domaine a appris la vinification aux côtés d'Henri Jayer. Bien que de par le temps qui leur est nécessaire pour arriver à maturité, ils flirtent avec l'astringent et l'acide, ils sont délicats et ont un arôme riche en fruité. Le village, produit à partir de raisins dont les ceps ont 90 ans, se trouve dans les 3000 à 4000 yens (entre 19,50 et 26 euros).

★ **Michel Guillard.** Encore un grand nom. Bien que le domaine soit petit, il fait un vin gracieux aux arômes d'orange. Son village, autour de 3000 yens (19,50 euros) est tout aussi délicieux.

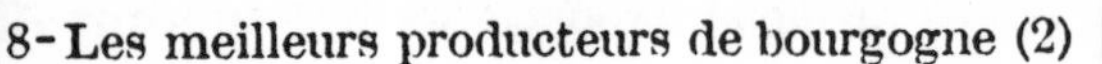

8- Les meilleurs producteurs de bourgogne (2)

Voici la suite des producteurs que nous recommandons pour les six appellations village représentatives du vignoble bourguignon. Cette fois-ci, nous nous intéressons à **Chambolle-Musigny**. Est-ce le sol calcaire qui entoure le village qui donne à ce vin son élégance et sa délicatesse ? Il est également très fruité, avec un arôme rappelant la violette ou encore la framboise.

Ce qui est intéressant avec ce vignoble, est que sa partie Nord et sa partie Sud produisent des grands crus aux caractéristiques radicalement différentes (voir carte ci-dessous). Au Nord, Les Bonnes Mares est un cru viril, puissant et dense, aux arômes de violette et de sous-bois. Alors qu'au Sud, le Musigny, soyeux en bouche et gracieusement parfumé, a des caractéristiques féminines. Mais tous les deux jouissant d'une renommée mondiale et étant produits en faible quantité, il ne faut pas espérer en trouver à moins de 10 000 yens (environ 65 euros).

Ce vignoble donne également naissance au premier cru Les Amoureuses. Ce vin au joli nom a de nombreux fans à travers le monde, et selon son domaine de production, certains considèrent qu'il est meilleur qu'un grand cru.

Les producteurs que nous recommandons

★ **Georges Roumier**
L'auteur avoue une petite faiblesse pour ce domaine. Son charme réside dans une fragrance florale, un riche arôme fruité et une limpidité particulière.
Son grand cru Musigny, avec une production limitée à 450 bouteilles par an, se trouve à plus de 70 000 yens (environ 455 euros) ; et il fait l'objet de la convoitise de tous les amoureux du vin à travers le monde.

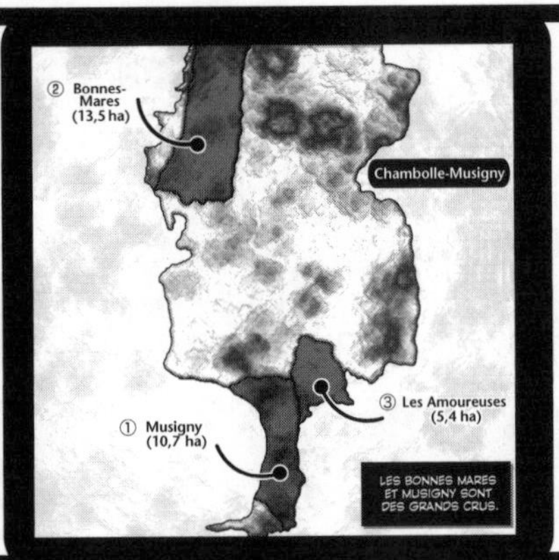

★ **Vogüé**
L'histoire de cet ancien domaine noble, date du XVe siècle. Ce producteur est le plus grand et le plus influent de la commune de Chambolle-Musigny, fort de son vignoble de 12,2 hectares. La qualité de son vin est si élevée que Robert Parker Junior, le célèbre critique, l'a qualifié de "trésor" ; ce qui suffit à le rendre particulièrement coûteux...

★ **Jacques-Frédéric Mugnier.** Cet ancien ingénieur s'est lancé dans la production viticole à l'âge de 30 ans. Ses deux chefs-d'œuvre sont le grand cru Chambolle-Musigny et le premier cru Les Amoureuses ; et ses vins sont très élégants. Nous recommandons ce domaine pour son excellent rapport qualité/prix.

★ **Jacques Prieur.** Un domaine qui, grâce à de gros investissements dans les années 80, a vu la qualité de sa production et sa valeur croître de façon exponentielle. Ses vins de 2002 en particulier (excellent millésime en Bourgogne) ont été très remarqués. Nous vous conseillons, si vous en trouvez, de l'acheter immédiatement (ainsi qu'un billet de loto...). Son grand cru Musigny se vend autour de 10 000 yens (environ 65 euros).

★ **Drouhin-Laroze.** Un domaine ancien produisant des vins élégants et très parfumés. Situé principalement dans le village de Chambertin, il sort de ses chais nombre de grands crus. Son Les Bonnes Mares du village de Musigny vaut dans les 7000 yens (environ 45,50 euros), et ses grands crus de Gevrey-Chambertin environ 10 000 yens (65 euros), mais ils sont assez faciles à se procurer. C'est un producteur très soucieux de la qualité de son produit.

★ **Robert Groffier.** Il produit un vin très concentré, comme de la confiture de fruits rouges, et à la robe profonde. Son joyau, Les Amoureuses, jouit d'une réputation particulièrement bonne parmi tous les domaines exploitant ce vignoble.

9 - Les meilleurs producteurs de bourgogne (3)

Nous allons cette fois-ci présenter les domaines d'un autre village de Bourgogne, **Morey-Saint-Denis**.

Bien que ce vignoble soit la perle de Bourgogne, il est enserré entre les villages de Gevrey-Chambertin et Chambolle-Musigny ; et par conséquent peu connu ni très cher. Mais il est très étendu, assez pour que 60 % des terres du village soient consacrées aux grands et premiers crus ; la qualité de ces derniers étant de plus plutôt élevée. Les vins village les plus ordinaires ont un bel arôme sauvage rappelant la cerise et la groseille.
Quant aux crus, ils possèdent cette densité que l'on appelle "mâche" et qui donne l'impression de mordre dans un fruit.

La fierté du village de Morey réside dans les grands crus Clos de la roche et Clos Saint-Denis. Le nom du premier fait référence à l'eau très calcaire qui draine généreusement le vignoble et donne naissance à un vin très musclé, dont la densité révèle des sels minéraux. À l'opposé, le Clos Saint-Denis est produit sur un sol argileux, ce qui donne un vin gracieux et raffiné.

Les producteurs que nous recommandons

★ Dujac
Le top des producteurs de Morey-Saint-Denis. Jacques Seysses, son propriétaire, a étudié la viniculture à l'université et s'est fait un nom en une génération. Sans désherbant ni engrais chimique, il produit naturellement un vin aux arômes riches en fruits ; vin qui étant de surcroît complexe et élégant, peut s'apprécier même jeune. Son Clos de la roche est de tout premier ordre.

★ Mommessin
Parmi les nombreuses exploitations familiales, les Mommessin et leurs 140 ans d'histoire se distinguent.
Ils ont ainsi le monopole d'un grand cru, le Clos de Tart. Jeune, celui-ci a un arôme de fruits rouges, mais la maturation lui apporte un bouquet où se mélangent avec complexité le cassis et la rose. Délicat et gracieux, il est particulièrement noble.

★ Hubert Lignier. Ce domaine est surnommé la dixième merveille de Bourgogne. Grâce aux anciennes et traditionnelles techniques de production, ses vins se caractérisent par leur délicatesse et leur grâce. Le problème est que, produits en très petite quantité, ils sont très chers.

★ Bernard Serveau. Un seul de ses vins ayant été noté par Robert Parker Junior, ce domaine offre un bon rapport qualité/prix et l'on peut y dénicher de bonnes affaires. Son vin est doux comme de la soie, on le trouve léger de prime abord mais plus on le boit, plus il révèle sa puissance. Le domaine n'offre pas de grand cru mais un premier cru, les Sorbès, qu'il est relativement facile de se procurer pour moins de 4000 yens (environ 26 euros). C'est un prix qui réjouira les consommateurs...

★ Frédéric Magnien. Un jeune producteur, né dans les années 70. Il récolte son raisin auprès de propriétaires de vignobles d'exception, et produit des vins aux riches arômes de fruit et ayant besoin de temps pour arriver à maturité. Il est également connu pour employer les mêmes méthodes de vinification que la célèbre DRC, producteur de la non moins célèbre Romanée-Conti. Ses premiers crus – les Ruchots et Clos Baulet – ont particulièrement bonne réputation.

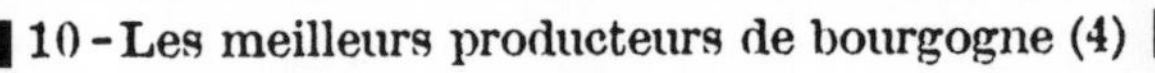

10 - Les meilleurs producteurs de bourgogne (4)

Intéressons-nous au village de **Nuits-Saint-Georges**, qui offre la plus grande superficie de vignoble du district de production Côtes de nuit, en Bourgogne. Il ne produit aucun grand cru, mais plus de 40 premiers crus et se concentre sur la production d'appellations village. Sa terre est productive et les vins coûtent généralement moins de 10 000 yens (environ 65 euros). Pourtant, de nombreux premiers crus peuvent se comparer à des grands crus, et offrent donc un excellent rapport qualité/prix.

Le vignoble de Nuits-Saint-Georges s'étend sur une bande étroite de 6,5 km du Nord au Sud, et les caractéristiques de ses vins changent selon leur situation au sein de celui-ci. Les vins produits au Nord sont proches de ceux du vignoble de la Romanée-Conti, étant situés près de ce dernier ; ils sont doux, parfumés et raffinés. Les vins du centre du vignoble ont la puissance typique de ce village, alors que ceux du Sud prennent plus de dureté. Les meilleurs premiers crus se trouvent surtout au Nord (proche de la Romanée-Conti) et au centre.

Parmi les premiers, nous recommandons entre autres les très appréciés Aux Boudots, les Damodes et Aux Cras ; et pour les seconds, les Vaucrains ou encore les Saints-Georges.

Les producteurs que nous recommandons

★ **Jayer Gilles**
Il a étudié la production auprès du maître de chais de la Romanée-Conti. Le père de Gilles, Robert, était le cousin de Henri Jayer, le dieu des bourgognes. Son cru Les Damodes est très célèbre, mais il produit davantage de villages et de vins de table (dans les 3000 yens – 19,50 euros) dont la qualité est extrêmement élevée.

★ **Prieuré Roch**
Ce domaine a été fondé dans les années 80 par A.F. Roch, l'un des gérants de la DRC et neveu de la fameuse madame Leroy, étoile de la Bourgogne.
Employant les méthodes de production naturelle de son mentor, il produit un vin aux arômes sauvages. Il possède le monopole de son fameux premier cru, le Clos des corvées.

★ **Philippe et Vincent Lecheneaut.** Peu reconnu pendant la génération précédente de viticulteurs, ce domaine a pris son essor vers la première classe grâce aux frères talentueux qui en ont hérité. Le millésime 2002, en particulier, est très réputé comparativement à son prix. Nous recommandons d'en acheter sans hésiter, si vous en trouvez.

★ **De l'arlot.** Le fondateur de ce domaine est l'une des stars du village de Morey-Saint-Denis. Il a appris son métier au domaine Dujac. C'est un nom fameux du Nuits-Saint-Georges, qui emploie des techniques de production naturelles pour des vins qui le sont également.

★ **Henri Gouges.** Un domaine qui a abandonné la production intensive des années 80 pour s'orienter vers plus de qualité par la baisse de la quantité récoltée. Bien évidemment, c'est lors de la très bonne année 2002 qu'il a attiré l'attention sur lui, Robert Parker Junior ayant attribué à son premier cru une note supérieure à 90 points.

★ **Robert Chevillon.** Domaine dont la réputation a augmenté depuis les années 80. Très denses et forts en tanins, ses vins ont besoin de temps pour arriver à maturité et sont donc représentatifs du village de Nuits-Saint-Georges.

11 - Les meilleurs producteurs de bourgogne (5)

L'un des 6 villages représentatifs de la Bourgogne, **Vougeot**, voit 60 % de sa superficie globale (50,6 hectares) consacrée à la production de son unique grand cru, le Clos de Vougeot. De plus, la plupart des vignobles étant de qualité supérieure, il n'en sort presque aucun vin ordinaire. On peut donc dire qu'en Bourgogne, ce village occupe une position bien particulière, celle d'un "village grand cru".

L'histoire du vignoble grand cru Clos de Vougeot remonte au XIIe siècle et débute avec les moines de l'abbaye de Cîteaux. Mais tout ne va pas de soi, même dans ce vignoble exceptionnel. Tout d'abord, il vaut mieux pour la vigne d'être exposée sur le haut d'un coteau, car elle y sera bien irriguée. C'est l'une des conditions pour la production d'un grand cru. Or, le Clos de Vougeot fait exception, se trouvant situé au plus bas du coteau faisant face à la nationale 74, route très fréquentée. À cause de ce positionnement particulier, le vignoble a été depuis divisé en trois classes. Les terres hautes, sur un sol calcaire bien drainé, sont appelées "clos du pape" ; la partie centrale, où l'on trouve beaucoup de gravier, "clos du roi" ; quant à la plus basse, la plus argileuse, elle a reçu le surnom de "clos des moines".

Les producteurs que nous recommandons

Parmi les plus de 80 producteurs qui se partagent ce trésor, les plus appréciés sont bien sûr ceux qui sont propriétaires d'une parcelle du Clos du pape.

On dit que le Clos de Vougeot est "le plus proche des bordeaux", car il se caractérise par sa densité, son arôme de fruits des bois et son bouquet merveilleux.

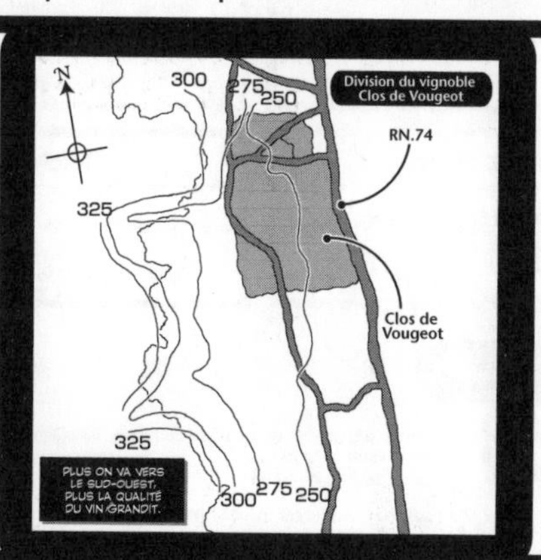

★ **Méo-Camuzet**

Il a été formé par le dieu des bourgognes, Henri Jayer. Possédant deux hectares du clos du pape, il produit un vin de très grande qualité.

★ **Drouhin-Laroze.** Il possède 1,25 hectares dans la même partie du vignoble, au sud de la parcelle de Méo-Camuzet. Son vin se caractérise par son très bon équilibre et son élégance raffinée.

★ **Gros frères et sœurs.** Se trouvant au nord du même vignoble, il touche celui du grand cru Musigny. Excellent Clos de Vougeot.

★ **Anne Gros.** Un domaine qui a la préférence de l'auteur. Approuvé par Robert Parker Junior, son Clos de Vougeot a une consistance dynamique et ressemble à une explosion de fruits rouges, mais est également très élégant.

★ **Mongeard-Mugneret.** Un vieux chais datant du XVIIe siècle, situé sur l'une des meilleures parcelles, où l'on dit que le père de l'abbaye tirait le vin destiné aux visiteurs. Ce vin se conserve particulièrement longtemps.

★ **René Engel.** Sur la même partie du vignoble, de ceps dont l'âge moyen est de 80 ans, il tire un vin profond et concentré.

★ **Robert Arnoux.** Son domaine se trouve proche du vignoble grand cru Grand Échézeaux de la Romanée-Conti. Il est doué au point d'être surnommé "le petit DRC".

Village de Gevrey-Chambertin

Armand Rousseau

Grands crus : Gevrey-Chambertin
Mazis-Chambertin
Premier cru : Gevrey-Chambertin Les Cazetiers
Village : Gevrey-Chambertin

Claude Dugat

Village : Gevrey-Chambertin
Ordinaire : bourgogne rouge

Henri Perrot-Minot

Premier cru : Mazoyères-Chambertin
Village : Gevrey-Chambertin
Ordinaire : bourgogne rouge
bourgogne aligoté

Philippe Pacalet

Village : Gevrey-Chambertin

Bernard Dugat-Py

Ordinaire : bourgogne rouge

Denis Mortet

Premier cru : Gevrey-Chambertin en champs vieilles vignes (VV)
Village : Gevrey-Chambertin
Ordinaire : bourgogne passetoutgrain

Domaine Fourrier

Premier cru : Gevrey-Chambertin Combes aux moines
Village : Gevrey-Chambertin

Michel Guillard

Premier cru : Gevrey-Chambertin Lavaud St. Jacques
Village : Gevrey-Chambertin

Village de Chambolle-Musigny

Georges Roumier

Un premier cru dans le village voisin de Morey-Saint-Denis, le Clos de la bussière
Village : Chambolle-Musigny
Ordinaire : bourgogne rouge

Jacques Prieur

Ce domaine concentrant, pour le vin rouge, des vignobles de grands crus, les prix ont augmenté en même temps que sa réputation et depuis la fin des années 90, il n'existe presque pas de produits à moins de 10 000 yens (environ 65 euros). Il arrive de temps en temps que l'on trouve sur le marché des millésimes antérieurs à son essor (avant 97) dans les 8000 à 9000 yens (52 à 58,50 euros).

Vogüé

Village : Chambolle-Musigny
Ordinaire : bourgogne blanc. (de fait, si les vins blancs de Musigny ne sont pas encore considérés comme des grands crus car ils sont trop récents, la possibilité qu'ils connaissent un boom d'ici quelques années est très grande. Pour les acheter bon marché, c'est maintenant ou jamais !)

Drouhin-Laroze

Grands crus : Les Bonnes Mares
Le Gevrey-Chambertin se trouve autour de 3000 yens (environ 19,50 euros).
Premiers crus : entre 3000 et 5000 yens (19,50 – 32,50 euros).

Jacques Frédéric Mugnier

Premier cru : Chambolle-Musigny fumé
Village : Chambolle-Musigny
On peut trouver en général son grand cru Les Bonnes Mares autour de 11 000 yens (environ 71,50 euros).

Robert Groffier

Premiers crus : Chambolle-Musigny Les Hauts-Doix
Chambolle-Musigny Les sentiers
Ordinaires : bourgogne pinot noir
bourgogne passetoutgrain

Les prix sont indicatifs et dépendent des millésimes.

Village de Morey-Saint-Denis

Frédéric Magnien

Premiers crus :
Les Ruchots
Clos baulet
Les Blanchards
Clos sorbès
Village : Morey-Saint-Denis
Les Herbuottes

Dujac

Premiers crus
dans les 9000 yens
(environ 58,50 euros).
Village : Morey-Saint-Denis
Son Morey-Saint-Denis blanc n'est pas facile à trouver car produit en petite quantité, mais on le dit meilleur que beaucoup de grands crus blancs.

Bernard Serveau

Premier cru :
Les Sorbès
Ordinaire : bourgogne rouge
On trouve également son premier cru Chambolle-Musigny Les amoureuses à environ 6000-7000 yens (entre 39 et 45,50 euros environ).

Mommessin

Le grand cru Clos de Tart dont il a le monopole ne se trouve malheureusement pas à mois de 15 000 yens (environ 97,50 euros). Également négociant, il produit entre autres des beaujolais très appréciés, que l'on peut trouver à environ 2000 yens (environ 13 euros).

Hubert Lignier

Premiers crus :
Vieilles Vignes (VV)
Les Chaffots
Village : Morey-Saint-Denis
Ordinaire : bourgogne rouge
Blanc : bourgogne aligoté

Village de Nuits-Saint-Georges

Jayer Gilles

Son meilleur cru, Les Damodes, est disponible autour de 10 000 yens (65 euros).
Premier cru : Hauts-Poirets
Ordinaire : Hautes-côtes de nuit rouge
Blanc : Hautes-côtes de nuit blanc

Prieuré Roch

Le premier cru Clos des corvées, dont il a le monopole, se trouve autour de 10 000 yens (environ 65 euros).
Premier cru (pas de nom) : Nuits-Saint-Georges premier cru.
Village : Nuits-Saint-Georges

De l'Arlot

Premier cru : Clos de forêt Saint Georges
Nous recommandons le premier cru dont il a le monopole, Clos de l'Arlot.

Henri Gouges

Son monopole : le premier cru Clos des Porrets Saint-Georges
Son premier cru très réputé : Les Saints-Georges
Village : Nuits-Saint-Georges

Robert Chevillon

Premiers crus : Les Saint-Georges
Les Perrières
Village : Nuits-Saint-Georges

Philippe et Vincent Lecheneaut

Premier cru : Les Pruliers
Nous recommandons leur premier cru Les Damodes.
Village : Nuit-Saint-Georges
Ordinaire : Hautes côtes-de-nuit rouge

Village de Vougeot

Drouhin-Laroze

Un bon rapport qualité/prix

Mugneret-Gibourg

Parcelle haute et vignes de plus de 50 ans.

Jean Grivot

Pas le meilleur emplacement mais une technique et une passion qui donnent des vins de bonne qualité.

Mongeard-Mugneret

Vin à maturation longue, nous recommandons d'attendre 5 ans après sa date de production pour l'ouvrir.

Anne Gros

Excellente parcelle du clos du pape. De 8000 à 9000 yens (52-58 euros), mais un grand millésime peut monter jusqu'à 20 000 yens (130 euros).

Gros frères et sœurs

Contigu à Musigny. Prix autour de 7000 yens (45,50 euros) pouvant monter à plus de 8000 (52 euros).

René Engel

Fait à partir de vignes de plus de 80 ans sur le Clos du pape.

Michel Gros

Un clos de Vougeot produit par le créateur du célèbre Romanée-Conti Clos des réas. Parcelle du Clos du pape.

※ **Nous n'avons retenu que des clos de Vougeot. Les Méo-Camuzet et Robert Arnoux ne figurent pas dans cette liste à cause de leur prix élevé.*

Shizuku Kanzaki, le héros de ce manga, a un don pour la dégustation et pour exprimer ses impressions sur un vin. Cependant, il ne connaît strictement rien au vocabulaire des professionnels, œnologues ou critiques. Nous allons expliquer ici les mots qui apparaissent dans *Les Gouttes de Dieu*.

■ **Arôme**

Goût de fruits qui peut être senti dans le vin. Le premier arôme est celui du raisin, les seconds proviennent des éléments libérés lors du processus de vinification. Enfin, le vin dégage ce que l'on appelle le bouquet, qui réunit toutes les fragrances qui se sont mêlées jusqu'à ce qu'il atteigne sa maturité.

■ **Attaque**

Première impression lorsque l'on goûte le vin. Si elle est faible, le vin ne fera justement guère d'impression.

■ **Bordeaux**

Région viticole du Sud-Ouest de la France. Ses Médoc, Graves, Sauternes, Pomerol, Saint-Émilion et d'autres encore sont célèbres. La bouteille, aux "épaules larges", est de forme masculine.

■ **Bouchonné**

Vin qui a un mauvais goût de moisissure dû à un bouchon défectueux. Il est très difficile d'en définir les caractéristiques, et il est si délicat d'en juger qu'une personne peut ne pas s'en rendre compte sauf si elle est avertie par un tiers.

■ **Bourgogne**

Région viticole de l'Est de la France. Elle est divisée en 6 districts : Chablis, Côtes-de-nuit, Côtes-de-Beaune, Côte châlonnaise, Mâconnais, Beaujolais. La forme de la bouteille est en général féminine, "aux épaules tombantes".

■ **Cave**

Lieu de conservation du vin.

■ **Château**

Dans la région du bordeaux, nom du lieu de récolte de la vigne et de production du vin.

■ **Décantation**

Action de verser le vin dans un autre récipient (une carafe à décanter) afin de laisser la lie au fond de la bouteille.

Vocabulaire pour débutants

■ Dégustation
Fait de goûter le vin. On y éprouve le bouquet, l'arôme ou encore la couleur du vin.

■ Dégustation à l'aveugle (ou blind test)
Une dégustation où l'étiquette de la bouteille est cachée. Il s'agit d'en deviner, grâce au bouquet, à l'arôme et à la couleur du vin, le cépage, l'origine et le millésime.

■ Disque
Surface du vin dans le verre. Il est souvent possible de voir le potentiel d'un vin en observant sa couleur et sa limpidité.

■ Domaine
En Bourgogne, nom du lieu de récolte de la vigne et de production du vin.

■ DRC
Abréviation du domaine de la Romanée-Conti, l'un des premiers producteurs de vins de Bourgogne. Ce domaine produit la célèbre Romanée-Conti.

■ Étiquette
À l'origine mot allemand signifiant "politesse", il désigne le label collé sur le vin. C'est la carte d'identité de celui-ci, où l'on trouve indiqué le cépage, la région de production et le millésime.

■ Grand cru
Dans le bordelais, désigne les meilleures classes d'appellations (5 dans le Médoc et 2 à Saint-Émilion). En Bourgogne, désigne les meilleurs vignobles.

■ Lie
Dépôt qui se forme chez les vins rouges vieux. Il est dû à la transformation du tanin et des pigments colorés.

■ Millésime
Désigne l'année où le raisin a été récolté. Le raisin étant l'ingrédient de base du vin, la qualité de ce dernier a une influence sur le produit, qui diffère grandement selon les années. Un millésime est une bonne indication dans la recherche d'un bon vin.

■ Sommelier (fém. : sommelière)
Professionnel qui s'occupe de la gestion et du service du vin dans un restaurant. Un examen sanctionne l'obtention du titre.

■ Terroir
Désigne les caractéristiques de l'environnement de la vigne (terre, géologie, climat) qui ont une influence sur la qualité du raisin.

■ Vin botrytisé
Vin de dessert moelleux et savoureux, fabriqué en employant la pourriture noble de la peau du raisin (la moisissure *botrytis cinerea*).

Les vins de la semaine, par Tadashi Agi

Quels vins l'auteur a-t-il dégustés ?

Notation sur une échelle de 0 à 5 étoiles.

★☆☆☆☆ Vosne-romanée Les Reignots, de Sylvain Cathiard

Je bois un vosne-romanée Les Reignots de 1999 (6980 yens, environ 45 euros). Je l'ai décanté, mais il est dur et peu généreux. Peut-être était-il en hibernation…

Château Clerc-milon ★★★☆☆

2002, 4280 yens (environ 28 euros). J'ai décidé de l'essayer car Robert Parker Junior lui donne des notes entr 90 et 92 points. En effet, il est bien équilibré, frais, avec un riche arôme de fruits et un parfum très agréable. Il est bon tout de suite, mais je pense qu'il vaut mieux l'ouvrir une heure avant dégustation.

★★★☆☆ Château-Lagrange

2001, 3880 yens (environ 25 euros). Un arôme sucré de cassis, un goût de prunes, et un bon équilibre tannique. J'ai déjà goûté autrefois un millésime 90, et il me semble que depuis il a encore gagné en qualité. Je crois que j'ai fait une bonne affaire.

Corton Clos du roi, de Michel Voarick ★☆☆☆☆

Me voici en train de boire un Corton Clos du roi 1994 (grand cru, environ 6000 yens, soit 39 euros). Quelle surprise… Que dire, sinon qu'il est acide. Son arôme est plutôt fade. J'ai entendu dire qu'il fallait le laisser vieillir, aussi le goûterai-je peut-être à nouveau dans 10 ans.

★★☆☆☆ Château Cantenac-Brown

Millésime 2000, 3570 yens (environ 23 euros). Corps ferme et bon équilibre, c'est un vin de bonne facture. Il ne perd rien de ses qualités deux heures après ouverture. Mais son bouquet comme son arôme manquaient de punch et je me retrouve un peu frustré. Disons qu'il lui manque un petit je-ne-sais-quoi pour être parfait ?

Hautes-côtes-de-nuit Les Dames Huguettes, de Jean Guy Pierre et fils ★☆☆☆☆

2002, 3450 yens (environ 23 euros). Ce n'est qu'un vin d'appellation communale, mais comme il est tiré d'un vignoble entouré de premiers crus, j'en espérais beaucoup. Hélas… Franchement, il était acide et je fus déçu. C'est un vin solide, mais qui manque de charme.

★★★☆☆ Santenay Clos Tavannes, la pousse d'or

Je l'ai acheté parce que Robert Parker lui a donné de très bonnes notes, entre 90 et 92 points. Cependant, il était acide comme du vinaigre à l'ouverture et je l'ai donc placé trois jours dans la cave à vin sans le boire ; il est devenu délicieux et a révélé un bouquet magnifique. Quelle surprise !

Cruter ca'del vispo ★½☆☆☆

Me voici en train de goûter un vin italien de Toscane, un Cruter du vieux domaine viticole ca'del vispo (2001, 2500 yens, soit environ 16 euros). Ce vin est fait à 100 % de cépage merlot. Il était rond en bouc et fruité, mais son odeur ressemblant à celle du céleri (due au raisin ?) m'a un peu ennuyé…

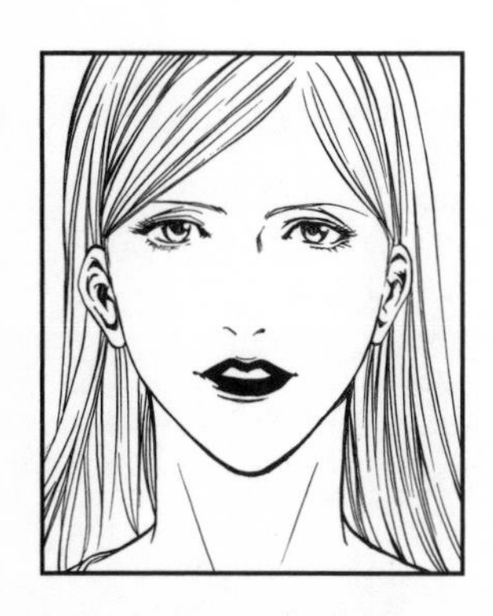

LES GOUTTES DE DIEU

Édition française
Traduction : Anne-Sophie Thévenon
Correction : Jean Defrance
Lettrage : Sébastien Douaud

BP 177 — 38008 Grenoble Cedex.
ISBN : 978-2-7234-6341-6
ISSN : 1253-1928
Dépôt légal : avril 2008

Imprimé en France en janvier 2009 par Hérissey - CPI
27000 Évreux — France

www.glenatmanga.com